CAUTIVA DEL REY DEL DESIERTO
ANNIE WEST

HARLEQUIN™

Editado por Harlequin Ibérica.
Una división de HarperCollins Ibérica, S.A.
Núñez de Balboa, 56
28001 Madrid

© 2017 Annie West
© 2017 Harlequin Ibérica, una división de HarperCollins Ibérica, S.A.
Cautiva del rey del desierto, n.º 2577 - 18.10.17
Título original: The Desert King's Captive Bride
Publicada originalmente por Mills & Boon®, Ltd., Londres.

I.S.B.N.: 978-84-9170-112-5
Depósito legal: M-22217-2017
Impresión en CPI (Barcelona)
Fecha impresion para Argentina: 16.4.18
Distribuidor exclusivo para España: LOGISTA
Distribuidores para México: CODIPLYRSA y Despacho Flores
Distribuidores para Argentina: Interior, DGP, S.A. Alvarado 2118.
Cap. Fed./Buenos Aires y Gran Buenos Aires, VACCARO HNOS.

Capítulo 1

LA AZAFATA se hizo a un lado, invitándola a salir del avión. Ghizlan se puso de pie y se estiró la falda y la americana verde musgo. Las manos apenas le temblaban.

Había tenido días para prepararse, días para aprender a enmascarar el asombro y la pena. Sí, la pena. Nunca había estado muy unida a su padre, un hombre distante, más interesado por su país que por sus hijas, pero su repentina muerte a los cincuenta y tres años a causa de un aneurisma cerebral había hecho temblar los cimientos de su mundo.

Ghizlan se irguió y esbozó la cortés sonrisa que su padre siempre había considerado apropiada para una princesa y, tras dar las gracias a la tripulación, salió del avión.

La fresca brisa de la tarde se le enredó en las piernas. Se preguntó brevemente lo agradable que sería poder viajar con ropa cómoda e informal en vez de llevar trajes de chaqueta y medias. El pensamiento se evaporó en el viento. Era la hija de un jeque. No disponía de esa libertad.

Se cuadró de hombros, se agarró al pasamanos y descendió por la escalerilla hasta el asfalto. Le temblaban las piernas, pero sabía que caerse no era una opción para ella. Jamás se le había permitido la torpeza y, en ese momento, más que nunca, era una obligación mostrarse tranquila. Hasta que se nombrara al heredero de su padre, ella era la cabeza visible de la familia, el rostro que todos conocían. Todos se apoyarían en la hija mayor del admirado jeque y confiarían en que ella se ocupara de que todo se desarrollara como era debido hasta que se confirmara el sucesor.

Se detuvo al llegar a la pista. Frente a ella, se extendían las montañas, a las que los últimos rayos del sol daban una tonalidad morada. Tras ella, las montañas desaparecían abruptamente para dar paso al Gran Desierto de Arena.

Respiró profundamente. A pesar de las graves circunstancias de su llegada a Jeirut, su corazón palpitaba alegremente al notar los familiares aromas de las montañas y de las especias, tan potentes que ni siquiera el olor a combustible de avión parecía poder erradicar.

—Mi Señora —le dijo Azim, el asistente de su padre. Se había acercado rápidamente a ella, sin dejar de retorcerse las manos y con el rostro compungido—. Bienvenida, señora. Es un alivio tenerla de vuelta.

—Me alegro de volver a verte, Azim.

Ghizlan decidió ignorar las formalidades y estrechó las manos de Azim. Ninguno de los dos lo admitiría nunca, pero ella se había sentido más unida a Azim que a su propio padre.

—¡Su Alteza! —exclamó él con preocupación mirando hacia un lado, donde los soldados protegían el perímetro de la pista.

Ghizlan no le prestó atención alguna.

—Azim, ¿cómo estás?

Sabía que la muerte de su padre debía de haber supuesto un duro golpe para Azim. Juntos habían trabajado sin descanso para conseguir que Jeirut entrara en el nuevo milenio con una combinación de hábiles negociaciones, profundas reformas y una voluntad de hierro.

—Estoy bien, Mi Señora, pero soy yo quien debería estar preguntando... Siento mucho su pérdida. Su padre no era simplemente un líder y un visionario. Era el sustento de nuestra democracia y el protector de su hermana y de usted.

Ghizlan asintió y soltó las manos de Azim para dirigirse hacia la terminal. Efectivamente, su padre había sido todas esas cosas, pero la democracia continuaría en el país después de su muerte. En cuanto a Mina y a ella, habían aprendido hacía ya mucho tiempo a no esperar ningún apoyo personal de su padre. Al contrario, estaban acostumbradas a que se las presentara como modelos a seguir para la educación, los derechos de las mujeres y otras causas. Tal vez su padre había sido un visionario al que se recordaría como un gran hombre, pero la triste verdad era que ni su hermana pequeña ni ella podían sentirse destrozadas por su fallecimiento.

Se echó a temblar por no sentir más.

Mientras se acercaban a la terminal, Azim volvió a dirigirse a ella.

—Mi Señora, tengo que decirle...

Se interrumpió inmediatamente al ver que unos soldados se dirigían hacia ellos. Entonces, volvió a tomar la palabra, pero lo hizo en un susurro apenas audible. Una gran urgencia parecía irradiar de él.

—Necesito advertirla...

—Mi Señora —dijo un oficial uniformado cuadrándose delante de ella—. He venido para escoltarla a palacio.

Ghizlan no lo reconoció. Se trataba de un hombre de aspecto duro de unos treinta años y que iba ataviado con el uniforme de la Guardia de Palacio. No obstante, llevaba lejos de allí más de un mes y los traslados de los militares se producían con frecuencia.

—Gracias, pero es suficiente con mis guardaespaldas —replicó ella. Se dio la vuelta, pero, para su sorpresa, no pudo ver a los miembros de su equipo de seguridad personal.

Como si le hubiera leído el pensamiento, el oficial, un capitán, volvió a hablar.

–Según creo sus hombres siguen ocupados en el avión. Hay nuevas normas referentes al control de equipajes, pero eso no debe retrasarla a usted. Mis hombres pueden escoltarla. Sin duda, está usted deseando ver a la princesa Mina.

Ghizlan parpadeó. Ningún empleado de palacio soñaría siquiera con comentar las intenciones de un miembro de la familia real. Aquel hombre era nuevo. Sin embargo, tenía razón. Le había preocupado mucho el tiempo que había tardado en regresar a Jeirut. No le gustaba pensar que Mina había estado sola.

Una vez más, se dio la vuelta, pero no vio a sus guardaespaldas. Su instinto le decía que no debía marcharse sin ellos. Sin embargo, al encontrarse por fin en Jeirut, la preocupación que sentía por Mina se había convertido en algo cercano al pánico. No había podido hablar con ella por teléfono desde el día anterior. Su hermana solo tenía diecisiete años y acababa de terminar sus estudios. ¿Cómo se estaba enfrentando a la muerte de su padre?

En Jeirut, solo los hombres podían asistir a los entierros, aunque se tratara de funerales de estado, pero a Ghizlan le habría gustado estar presente para ocuparse de todos los detalles y recibir las condolencias. Sin embargo, la tradición había prevalecido y su padre había sido enterrado a los tres días mientras que ella estaba atrapada en otro continente.

–Le estoy muy agradecida –le dijo. Entonces, se volvió a Azim–. ¿Te importaría explicarles que me he ido a palacio y que estoy en buenas manos?

–Pero, Mi Señora... –objetó él mirando a los guardias que les habían rodeado–. Necesito hablar con usted en privado. Es crucial.

–Por supuesto. Tenemos asuntos muy urgentes de los que ocuparnos –repuso ella.

Efectivamente, la repentina muerte del jeque había dejado un panorama muy complicado. Sin un heredero claro, se podrían tardar semanas en decidir quién era su sucesor. Ghizlan sentía el peso de la responsabilidad sobre sus hombros. Como mujer, no podía suceder a su padre, pero tendría un papel muy importante en el mantenimiento de la estabilidad institucional hasta que se decidiera la sucesión.

–Nos reuniremos dentro de dos horas –añadió. Entonces, asintió al capitán de la guardia.

–Mi Señora... –insistió Azim. Al ver que el capitán daba un paso hacia él con expresión sombría y gesto beligerante, guardó silencio.

Ghizlan le dedicó al capitán una mirada que había aprendido de su padre.

–Si usted va a trabajar en palacio, necesita aprender la diferencia entre solicitud e intimidación. Este hombre es una persona a la que tengo en alta estima y muy valorada por mí, por lo que espero que se le trate con respeto. ¿Ha quedado entendido?

El oficial dio un paso atrás.

–Por supuesto, Mi Señora.

Ghizlan deseó volver a tomar las manos de Azim entre las suyas. El asistente de su padre tenía un aspecto frágil y delicado. Sin embargo, necesitaba con más desesperación volver a encontrarse con Mina, por lo que le dedicó una afable sonrisa.

–Te veré pronto y podremos hablar de todo lo que desees.

–Gracias por escoltarme –dijo Ghizlan cuando se detuvieron por fin en el amplio atrio de palacio–. Sin embargo, en el futuro, no hay necesidad alguna de que ni usted ni sus hombres entren en el palacio.

Las normas de seguridad no incluían hombres armados en los pasillos.

El capitán inclinó suavemente la cabeza.

—Me temo que mis órdenes son distintas, Mi Señora. Ahora, si me acompaña...

—¿Órdenes? —le espetó Ghizlan. Tal vez aquel oficial era nuevo, pero debía saber que se estaba excediendo—. Hasta que se anuncie el sucesor de mi padre, soy yo quien da las órdenes en este palacio.

La expresión del capitán no se alteró en lo más mínimo. Ghizlan estaba acostumbrada a los militares, pero nunca antes había conocido a ninguno como aquel.

—¿Qué es lo que está pasando aquí? —añadió tratando de mantener la calma a pesar de que un gélido escalofrío le acababa de recorrer la espalda.

No se había dado cuenta antes, pero en aquel instante se percató de que los rostros de todos los guardias le resultaban desconocidos. Un rostro nuevo, tal vez dos, pero aquello...

—Tengo órdenes de llevarla al despacho del jeque.

—¿Al despacho de mi padre? —preguntó ella sin poder controlar ya los desbocados latidos de su corazón—. ¿Y quién ha dado esa orden?

El capitán no habló, pero le indicó que echara a andar.

La ira se apoderó de ella. Fuera lo que fuera lo que estaba ocurriendo, se merecía respuestas y tenía la intención de conseguirlas.

—Diga a sus hombres que se marchen, capitán —le ordenó—. Su presencia ni es bienvenida ni requerida en este palacio. A menos que se vea usted incapaz de guardar a una mujer sola.

Ghizlan no se dignó a esperar la respuesta del capitán. Echó a andar, taconeando con furia sobre los suelos de mármol. Debería haberle aliviado escuchar que los hombres se marchaban en la dirección opuesta, pero desgraciadamente sabía que el capitán seguía andando tras ella.

Algo iba mal, muy mal. Aquella certeza le oprimía el pecho y le erizaba el vello en la nuca.

Al llegar al que había sido el despacho de su padre, no se molestó en llamar. Al contrario de lo que se le había enseñado, abrió la puerta de par en par y entró con paso firme.

La frustración se apoderó de ella al comprobar que estaba vacío. La persona que, aparentemente, le había dado las órdenes al capitán, no estaba allí. Se detuvo frente al amplio escritorio y sintió que el corazón se le encogía de dolor con los recuerdos que aquella estancia le evocaba. El tiempo pareció volver atrás hasta el punto que todo lo ocurrido hasta entonces le parecía una pesadilla. Fuera lo que fuera lo que estaba ocurriendo, su padre ya no estaba.

Se irguió inmediatamente. No tenía tiempo para dejarse llevar por los sentimientos. Necesitaba descubrir qué era lo que estaba ocurriendo. Había empezado a pensar que los guardias la tenían prisionera en palacio en vez de estar protegiéndola. La intranquilidad se apoderó de nuevo de ella.

Estaba a mitad de camino de la puerta trasera del despacho cuando una voz la obligó a detenerse.

—Princesa Ghizlan.

Ella se dio la vuelta y contempló a un hombre muy corpulento que estaba cerrando la puerta por la que ella había entrado. Era mucho más alto que ella, a pesar de que Ghizlan llevaba puestos unos zapatos de tacón y era una mujer de gran estatura. La disparidad de las alturas de ambos la sorprendió. No solo era un hombre alto, sino también de anchos hombros y amplio torso, con largas piernas e imponente físico.

Llevaba ropas de jinete. Camisa blanca y pantalones metidos por dentro de unas botas de montar. Una capa en los hombros, echada hacia atrás, lo que le permitió a Ghizlan ver el puñal que llevaba en la cintura. No se trataba de la daga ceremonial que solía portar su padre de vez en cuando. Se trataba evidentemente de un arma.

—No se permiten las armas en este palacio —le espetó ella.

Prefería concentrarse en aquello que en la extraña manera en la que le latía el pulso. Esa respuesta física le preocupaba casi tanto como el inexplicable comportamiento de los guardias de palacio.

Sus ojos eran azules grisáceos. Aquella tonalidad no resultaba extraña en Jeirut, pero Ghizlan no había visto nunca unos ojos como aquellos. Mientras los observaba, vio cómo el azul desaparecía y aquellos ojos, enmarcados por unas cejas negras muy rectas, se volvían fríos como la bruma de las montañas. Su frente era amplia y poseía una nariz recta y unos labios que indicaban claramente desaprobación.

Ghizlan arqueó las cejas. Fuera quien fuera aquel hombre, parecía desconocer por completo las reglas de la cortesía, por no hablar de la etiqueta de palacio, dado que parecía haber salido directamente de los establos. Tenía el cabello alborotado y, además, llevaba barba de varios días. No se trataba de una barba cuidadosamente perfilada, sino de una barba que simplemente no se había afeitado en más de una semana.

Cuando se acercó a Ghizlan, ella captó un ligero aroma a caballo y a sudor masculino.

—No me parece que ese sea un saludo muy amistoso, Su Alteza —dijo él.

—No lo he dicho como saludo. Ahora, le ruego que guarde esa arma mientras esté aquí.

Él levantó una ceja como si nunca antes hubiera escuchado una petición similar. En silencio, se cruzó los brazos sobre el pecho. Parecía estar desafiándola.

Ghizlan, en vez de sentirse amenazada por él, adoptó un aire de superioridad para volver a dirigirse a él.

—Tanto sus modales como su aspecto dejan claro que es usted ajeno a este palacio y las reglas de la sociedad civilizada.

Él entornó la mirada. Entonces, con un rápido movimiento, se sacó la daga del cinturón y la lanzó. Ghizlan sintió que el aliento se le helaba en la garganta, pero permaneció inmóvil mientras la daga caía sobre el escritorio, a poca distancia de ella. Lentamente, se dio la vuelta y miró el profundo arañazo sobre la hermosa madera del escritorio y sintió que la ira se apoderaba de ella. Intuía que la puntería de aquel desconocido era impecable. Si hubiera querido hacerle daño, no habría fallado.

Con aquel gesto él tan solo había querido dejar constancia de su grosería. Y, por supuesto, había querido intimidarla. Sin embargo, no era miedo lo que le hervía a Ghizlan en las venas. Era rabia.

Su padre había dedicado su vida, y la de ella, a su pueblo. No había sido un padre cariñoso, pero se merecía más respeto tras su muerte. Y por eso, Ghizlan se negaba a sentirse amedrentada.

—Bárbaro.

Él ni siquiera parpadeó.

—Y tú eres una niña mimada e inútil. Sin embargo, no vamos a permitir que los insultos molesten para poder tener una conversación sensata.

Ghizlan deseó haber agarrado la daga para poder intimidarle. No estaba acostumbrada a que la trataran de aquella manera. Con un bofetón seguramente tan solo conseguiría hacerse daño en la palma de la mano cuando esta entrara en contacto con aquella mejilla tan prominente, pero con una daga...

Respiró profundamente para tratar de recuperar la compostura. No podía dejar de pensar que algo terrible había ocurrido en su ausencia, algo que había supuesto la irrupción de rostros desconocidos y de guardias armados en el palacio real.

¡Mina! ¿Dónde estaba su hermana? ¿Estaría a salvo?

El miedo se apoderó de ella, aunque no lo demostró. No quería que aquel hombre notara su debilidad. Aquellos ojos azules no dejaban de examinar su rostro, como si estuvieran buscando su debilidad.

Tratando de controlar el temblor que tenía en las rodillas, Ghizlan atravesó la delicada alfombra y se sentó en la butaca que su padre había ocupado frente al escritorio. Tomó asiento con aplomo y se acomodó en los reposabrazos como si el mundo estuviera a sus pies. Si tenía que enfrentarse a algo terrible, lo haría desde una posición de poder.

–¿Quién eres? –le preguntó, aliviada al comprobar que su voz no reflejaba ninguno de los sentimientos que la atenazaban por dentro.

Él la observó un instante y luego hizo una inclinación muy elegante. Ghizlan no pudo evitar pensar qué era lo que hacía cuando no estaba ocupando palacios que no le pertenecían o amenazando a mujeres indefensas. Le rodeaba un magnetismo que lo hacía inolvidable.

–Me llamo Huseyn al Rasheed. Vengo de Jumeah.

Huseyn al Rasheed. Ghizlan sintió que se le hacía un nudo en el estómago. Aquel hombre representaba problemas. Problemas con mayúsculas.

–La Mano de Hierro de Jumeah –dijo ella. El miedo se había apoderado de ella.

–Así me llaman algunos.

–¿Y quién podría culparlos? –replicó–. Tu reputación solo habla de destrucción y de fuerza bruta.

Huseyn al Rasheed era el hijo del jeque de Jumeah,

líder de la provincia más alejada de la capital. Aunque formaba parte de Jeirut, Jumeah disfrutaba de una cierta autonomía y tenía reputación de contar con temibles guerreros.

Huseyn al Rasheed controlaba las continuas escaramuzas que se producían en la frontera con Halarq, el vecino más molesto de la nación. El deseo más ferviente del padre de Ghizlan había sido que los tratados de paz que había estado negociando tanto con Halarq como con Zahrat, el otro país con el que Jeirut compartía fronteras, terminaran con años y años de enfrentamientos. Huseyn al Rasheed y su padre no hacían más que fomentar esos enfrentamientos con su comportamiento.

—¿Te ha enviado tu padre?

—No me ha enviado nadie. Mi padre, como tu padre, su primo, está muerto.

Efectivamente, los dos eran primos segundos. A Ghizlan le hubiera gustado negar el parentesco que compartían, pero contuvo su respuesta.

—Te doy mi más sentido pésame por la muerte de tu padre —dijo ella, aunque no había nada en aquel duro rostro que denotara pena.

—Y yo a ti las mías por la muerte del tuyo.

Ghizlan asintió. No le gustaba el modo en el que él la miraba, como un enorme felino que hubiera encontrado una apetitosa presa.

—¿Y cuáles son tus razones para entrar aquí, armado y sin invitación alguna?

—He venido para reclamar la corona de Jeirut.

Ghizlan sintió que el corazón se le detenía en seco y luego reanudaba su marcha frenéticamente.

—¿Con la fuerza de las armas?

Era admirable la capacidad que ella tenía de parecer tranquila cuando el miedo la atenazaba por dentro. ¿Un hombre como la Mano de Hierro al mando de su amado país? Estarían en guerra en una semana. Todo el trabajo de su padre, y el de ella misma, habría sido en vano.

–No tengo intención alguna de iniciar una guerra civil.

–Eso no responde a mi pregunta.

Él se encogió de hombros y ella observó, como hipnotizada, el gesto.

Terror, ira, furia. Eso debería estar sintiendo. Sin embargo, el hormigueo que experimentaba entre los senos y que le llegaba hasta el vientre no parecía ninguna de esas cosas. Decidió no prestarle atención alguna. Se sentía estresada y ansiosa.

–No tengo intención de enfrentarme a mi propio pueblo por conseguir ser jeque.

–¿Acaso crees que los ancianos votarán a un hombre como tú para que sea nuestro líder? –le preguntó. Ya no pudo permanecer más tiempo sentada. Se puso de pie y apretó los puños para apoyarse encima del escritorio. ¿Cómo se atrevía a hacer tal afirmación?

–Estoy seguro de que comprenderán que soy el más adecuado, en especial dada la otra feliz circunstancia.

–¿Feliz circunstancia? –preguntó Ghizlan frunciendo el ceño.

–Mi boda. Esa es la otra razón que me ha traído a la capital. He venido a reclamar a mi esposa.

Ghizlan sentía un profundo desprecio por aquel aire de superioridad que había en su profunda voz. Sintió pena por su prometida, fuera quien fuera, pero evidentemente Huseyn quería impresionarla. Decidió que lo mejor sería dejarse llevar al menos hasta que llegara al fondo de todo aquel asunto.

–¿Con quién te vas a casar? ¿La conozco?

Él sonrió. Ghizlan vio el brillo de aquellos fuertes dientes y sintió miedo.

–Eres tú, mi querida Ghizlan. Voy a tomarte a ti como esposa.

Capítulo 2

GHIZLAN abrió los ojos de par en par. La satisfacción de Huseyn se hizo pedazos. Había esperado asombro, pero no el horror absoluto que se reflejó en su rostro.

Era un soldado duro y dispuesto, pero no era un monstruo. Aquella expresión le hacía sentirse como si la hubiera amenazado con abusar de ella en vez de planear un honorable matrimonio.

La culpa era suya. No debería habérselo dicho de aquella manera, pero la altanera y poderosa princesa lo había provocado como nunca nadie había conseguido hacerlo.

Debería haber esperado lo inesperado. Antes de entrar en el despacho, Selim le había advertido que ella no era lo que habían pensado. Tenía agallas. La princesa había recriminado a Selim, la mano derecha de Huseyn y que era en aquellos momentos el capitán de la Guardia Real, su falta de modales y le había desafiado a pesar de estar rodeada de guardias.

A Huseyn le habría encantado ver esa escena.

Se negaba a mirar su atractivo cuerpo, pero ya era demasiado tarde. Los recuerdos le turbaban y amenazaban con distraerlo.

Cuando entró en el despacho, la encontró apoyada sobre el escritorio. Había podido admirar las esbeltas piernas y el hermoso y redondeado trasero ceñido por una apretada falda. Cuando se dio la vuelta, se enfrentó a él, mirándolo como si fuera un insecto al que podía aplastar con la suela de su zapato.

Ningún hombre se atrevía a mirarlo de aquella manera y mucho menos una mujer. Estaba acostumbrado a tenerlas más bien suspirando por sus músculos y su apostura.

Cuando la princesa arqueó las cejas, lo único que él sintió fue pasión.

Y curiosidad.

—¡Eso es absurdo! Además, yo no soy tu querida ni te he dado permiso para que me llames Ghizlan.

La ira enfatizaba su belleza y le ruborizaba los marcados pómulos, le llenaba los ojos de brillo y conseguía que todo su cuerpo vibrara de energía. Gracias a las fotos había sabido que era encantadora, pero las imágenes tomadas en eventos sociales no le hacían justicia.

La había subestimado. El modo en el que se había enfrentado a él, sin acobardarse cuando Huseyn arrojó la daga, le hizo reconsiderar su postura. Ella le había desafiado a pesar de saber que se encontraba en desventaja. Huseyn la admiraba por ello.

—¿Y cómo voy a llamarte si no es Ghizlan?

Le gustaba el regusto que pronunciar su nombre le dejaba en los labios. Se preguntó cómo sabría ella. ¿Dulce o picante y ardiente como parecían indicar sus profundos y oscuros ojos? La había considerado una herramienta, una necesidad para alcanzar sus propósitos. No había esperado sentir deseo.

Eso era algo que ella tenía en su favor. Era una mujer apasionada, a pesar de lo mucho que ella se esforzaba por ocultarlo. Y una mujer con experiencia. A sus veintiséis años, y tras vivir en los Estados Unidos y en Suecia, no era una inocente doncella. El vientre se le tensó de anticipación. No quería casarse, pero dado que era necesario, prefería una esposa que pudiera satisfacer sus necesidades físicas.

—Mi Señora sería la forma correcta.

Huseyn contempló sus hermosas facciones. Ella tenía la cabeza muy erguida y alta, como si llevara una corona. Como si estuviera mirando a un hombre que había estado trabajando toda la vida al servicio de su padre el jeque y de su pueblo. Aquella actitud por parte de una mujer que jamás había trabajado un día en toda su vida, que nunca había hecho nada más que vivir a expensas de la generosidad de su nación, le escandalizaba.

Miró con deliberación su esbelta figura, deteniéndose en los pechos y la estrecha cintura, que dejaba paso a la curva de muslos y caderas como si se tratara de un reloj de arena. Luego contempló su rostro, que se había ruborizado. La expresión no revelaba nada, a excepción de unos labios muy tensos.

Resultaba evidente que no le gustaba que la mirara. Debería estar agradecida de que solo la mirara. Aquella actitud desafiante era una irresistible invitación. Tal vez eran enemigos, pero presentía que los dos disfrutarían haciendo algunas cosas...

—¿Te hacen esas palabras sentirte superior a un simple soldado, aunque se te llame así simplemente por haber nacido en una cuna privilegiada?

Huseyn había conocido a muchos que se creían mejores que él. Era hijo ilegítimo. Su madre había sido una mujer pobre y sin educación alguna, aunque su belleza había cautivado al padre de Huseyn. Había pasado mucho tiempo desde que alguien se atrevió a mirarle de ese modo, desde que tuvo edad suficiente para luchar y demostrar que era un guerrero de fuerza y honor.

—Creo en la cortesía —replicó ella mirándole sin temor alguno. Para sorpresa de Huseyn, él sintió lo que parecía ser... vergüenza—. Como has señalado, mi título

es honorario. Algunos dirían que llevo toda la vida dig-
nificando y mereciendo ese título, pero estoy segura de
que a ti eso no te interesa –añadió ella irguiéndose con
resolución–. ¿Cómo debería llamarte a ti?

–Huseyn será más que suficiente.

Él era el jeque de su provincia, pero pronto sería el
regente de la nación entera y Ghizlan sería su esposa.
Aunque el matrimonio fuera por razones políticas, descubrió que quería escuchar su nombre en los labios de
la que iba a ser su mujer.

Inesperadamente, se la imaginó desnuda debajo de
él, su cuerpo cálido y suave acogiéndolo, con la respiración agitada y aferrándose a él con pasión y por fin
gritando su nombre, presa del éxtasis. No podía recordar haber sentido una lujuria tan inmediata y abrasa-
dora desde hacía tiempo. Seguramente se debía a los
meses en los que había estado demasiado ocupado para
estar con una mujer.

–Bien, Huseyn –dijo por fin con voz gélida–. Sean
cuales sean tus planes, casarte conmigo no es una opción.

–¿Por qué? –replicó él cruzándose de brazos–. Tú estás
disponible desde que te abandonó el jeque de Zahrat.

Aquel había sido el escándalo de la década, un desprecio que Huseyn no volvería a consentir cuando fuera
el jefe del Estado. Ya iba siendo hora de que las naciones colindantes les mostraran respeto.

Ghizlan se cruzó de brazos también. Durante un
instante, Huseyn se distrajo por el ligero abultamiento
de los senos. Aquella mujer contaba con armas más
peligrosas que las pistolas o las dagas.

–No me abandonó –dijo ella fríamente–. Entablé
amistad con el jeque Idris como parte del deseo de mi
padre por tener un acuerdo comercial y de paz con Zahrat. En cuanto a lo de casarnos... Disfruté mucho asis-
tiendo a la ceremonia de su compromiso en Londres.

—Pero no a su boda...

—No me fue posible. Tenía otros compromisos empresariales.

No fue una mentira muy convincente, pero había que reconocer que ella se esforzaba por que así fuera. ¿Qué había sentido por Idris? La idea de que ella siguiera teniendo el corazón roto le resultaba vagamente... turbadora.

—¿Trabajo?

—Por extraño que pueda parecerte, sí.

—Y eres libre para casarte.

Ella alzó las cejas con altanería. Ante aquel gesto, Huseyn deseó enredar el brazo alrededor de la cintura de Ghizlan y besarla. Aquel aire de condescendencia hacia él lo excitaba profundamente. No podía comprenderlo. Jamás le habían gustado las mujeres ricas y mimadas.

—No tengo planes de hacerlo.

—No hace falta. Ya los he hecho yo.

—Pero...

—¿O es que acaso me he equivocado? ¿No estás en venta, dispuesta a irte con el mejor postor? ¿Acaso no eras parte del precio que tu padre planeaba pagar por el tratado con Zahrat?

El rostro de Ghizlan permaneció tan impasible como siempre, pero algo se reflejó en sus ojos que le indicó a Huseyn que le había hecho daño. ¿Por qué? A ella la habían educado para ser moneda de cambio.

—Al contrario de las costumbres trasnochadas de tu provincia, Huseyn, yo no soy una esclava ni una propiedad. Gracias a mi padre, las mujeres tienen voz en esta zona del país. Yo soy dueña de mi propia voluntad. Y no tengo miedo. No tengo miedo de ningún hombre.

Ella se irguió un poco más, traicionando la ansiedad que tanto había tratado de ocultar.

—Yo no te haré daño, Ghizlan.

—¿Y a mi hermana? ¿Le has hecho daño a mi hermana?

–¡Por supuesto que no! –exclamó él dolido. Estaba claro que Ghizlan pensaba de él que era un ser sin civilizar–. La princesa Mina está en sus habitaciones.

–Gracias por asegurármelo –dijo ella con altanería–. Lo agradezco dada la presencia ilegal de hombres armados en el palacio.

Huseyn frunció el ceño.

–Los guardias están aquí realizando tareas de protección.

–¿Y los guardias que había aquí antes?

–Se les ha relevado temporalmente de sus deberes.

–Si le has hecho daño a alguno de ellos...

–Nadie ha sufrido ningún daño –dijo él–. No ha habido lucha alguna.

No había sido necesario. Huseyn había visitado el palacio para presentar sus respetos al fallecido jeque. Una vez dentro, y con la princesa Mina como rehén de su buen comportamiento, había resultado fácil convencer a la Guardia de Palacio de que cedieran el mando.

–Bien, en ese caso no pondrás objeción alguna a que yo vea al capitán de la guardia verdadero –exigió ella–. A menos que tengas miedo de permitirme esa cortesía –añadió al ver que Huseyn permanecía en silencio.

Aquella mujer sabía muy bien cómo turbarle. ¡Él, la Mano de Hierro de Jumeah asustado! Ningún hombre se habría atrevido a pensarlo siquiera.

Ghizlan suspiró temblorosamente. Hablar con Huseyn era como hacerlo con una pared de ladrillo, a excepción del brillo que se le reflejaba en los ojos cada vez que la miraba.

Debería sentirse petrificada, ansiosa en especial por Mina, pero, al mismo tiempo, era poseedora de más energía de la que había tenido en mucho tiempo.

Tensó los labios y trató de recuperar la compostura. No había nada mejor que un golpe de estado y la amenaza de verse encarcelada para turbarla.

–¿Qué es lo que pasa?

Huseyn había fruncido el ceño. Si Ghizlan no lo hubiera creído imposible, habría pensado que él parecía preocupado. La idea era risible.

Huseyn era un bruto, un oportunista que tan solo buscaba beneficiarse de la muerte de su padre. La consideraba una propiedad, una esclava.

«Igual que mi padre».

Aquel recuerdo le escocía. Huseyn tenía razón. Su padre había considerado que Mina y ella eran monedas de cambio para conseguir sus planes. Casarla con un jeque vecino había sido parte de las negociaciones. Le dolió mucho cuando su padre se lo dijo, aunque se la había educado para esperar que su matrimonio fuera concertado.

Durante años, se había mostrado obediente, consciente de su deber. Siempre había puesto las necesidades de su país en primer lugar. Sin embargo, eso nunca le había reportado el cariño y el aprecio de su padre. El difunto jeque lo había dado por sentado, sin pararse a considerar nunca su felicidad.

Preferiría estar muerta antes de que Huseyn le dijera con quién tenía que casarse. Tal vez los vínculos de amor y servidumbre que le unían a su país fueran muy fuertes, pero, por primera vez, era libre de vivir como eligiera. Y no iba a elegir atarse a un bruto sin civilizar.

Rodeó el escritorio y se colocó frente a frente con él, levantando la barbilla para mirar aquellos increíbles ojos azules. El evocador y masculino aroma que emanaba de su piel se filtraba en sus sentidos. Lo ignoró, igual que ignoró el hecho de lo atractivo que él resultaba a pesar de su barba, de su cabello revuelto y de su arrogancia.

–¿Y me preguntas qué es lo que pasa? –replicó ella

con una carcajada–. ¿Y qué me podría pasar? –añadió con ironía–. Aparte del hecho de que te has erigido en dueño y señor del palacio mediante una especie de revolución y exiges casarte conmigo. Además de que me impides ver a mi hermana y a mis antiguos empleados. ¿Cómo sé que están bien?

–Porque tienes mi palabra. Y yo no te he impedido ver a tu hermana.

–¿Puedo verla entonces? –preguntó aliviada.

–Por supuesto. Podrás verla cuando terminemos nuestra conversación.

–¿Es así como lo llamas?

Huseyn torció la boca y ella se preguntó si sería ira o frustración. No le importaba. Estaba demasiado cerca de perder la compostura. Se había esforzado mucho por mantenerla sabiendo que era el único modo de conseguir sus exigencias para las personas que dependían de ella. Sin embargo, ya no estaba segura de poder seguir así mucho tiempo.

–Desde luego –contestó él.

Descruzó los brazos y, de repente, Ghizlan fue consciente de lo cerca que estaban el uno del otro y lo corpulento que él era. El calor emanaba de su cuerpo, caldeándola a pesar del frío que le atenazaba los huesos.

Jamás había estado tan cerca de un hombre tan masculino, no solo por su tamaño y fuerza, sino por un algo más, potente y desconocido para ella, que hacía que su cuerpo quisiera echarse a temblar y deshacerse al mismo tiempo.

–Quiero ver primero al capitán de la guardia. Tengo que comprobar que todo el personal se encuentra bien. Y mis guardaespaldas. Necesito asegurarme...

–Todos están bien.

–Me perdonarás si te digo que necesito verlo con mis propios ojos. Luego, iré a ver a mi hermana.

Ghizlan hizo ademán de marcharse, pero el largo brazo de Huseyn se extendió de repente y unos fuertes dedos agarraron la muñeca de ella.

El pulso comenzó a latirle con fuerza. No le gustaba que él pudiera sentirlo. Odiaba en particular la efervescencia que irradiaba por todo su cuerpo desde aquel punto de unión entre ellos.

—Prefiero que no se me maltrate.

—¿Que no se te maltrate? —replicó él con una sonrisa en los labios.

Ghizlan se dio cuenta de que le divertía. Aquello le enfurecía.

—Yo no soy objeto de juego, Huseyn. Ya descubrirás que a la mayoría de las mujeres no les gusta que se les toque en contra de su voluntad.

—A la mayoría de las mujeres les gusta que les toque yo —murmuró él con seguridad. Sus ojos parecían de plata.

Evidentemente, se consideraba irresistible. Las mujeres de Jumeah debían de ser dignas de lástima.

—Si tú lo dices... Sin embargo, no puedo dejar de pensar que la mayoría de las mujeres fingirían disfrutar de la intimidad cuando un hombre tiene... mucho más poder que ellas. Comprenderás que es una cuestión de autodefensa.

Huseyn dejó caer las manos como si algo le hubiera picado.

—¡Yo jamás utilizaría la fuerza contra una mujer! —gruñó.

—¿De verdad? —repuso ella dando un paso atrás hasta que se topó con el escritorio—. En ese caso, ¿cómo denominarías a tu exigencia de que nos casemos? Si es una petición, te recuerdo que la he rechazado.

Ghizlan vio que él apretaba la mandíbula. Los músculos de sus fuertes brazos se tensaron. Sin embargo, ella se negó a tenerle miedo.

–Es un intento por evitar un derramamiento de sangre.

–Pues tendrás que esforzarte un poco más. Jeirut es una monarquía democrática y estable. El Consejo Real votará para elegir al nuevo jeque y después lo hará el parlamento. No habrá derramamiento de sangre. La verdad es que tú quieres la corona y has recurrido a la fuerza para conseguirla.

–No se trata de fuerza, sino de un movimiento táctico. Incluso tú debes admitir que soy la mejor opción para ocupar el trono. Tengo relación de sangre con el anterior jeque. Soy el único que puede decir algo así y, más importante aún, es que soy fuerte, decidido. Un guerrero. Y tengo experiencia como administrador. Nuestro matrimonio simplemente hará que la decisión sea más fácil y acelerará el proceso.

Ghizlan arqueó una ceja.

–Si eres la elección perfecta, el Consejo te votará.

–Pero eso llevará tiempo... Un tiempo que Jeirut no tiene.

–Tal vez tengas muchas ganas de ascender al trono, pero...

–¿Acaso crees que esto tiene que ver conmigo? Se trata de mantener a salvo a Jeirut. Con la muerte de tu padre, Halarq está dispuesto a invadirnos.

–Tonterías –le espetó ella–. Mi padre estaba a punto de firmar un acuerdo de paz tanto con Zahrat como con Halarq.

–Pero ahora tu padre no está y el emir de Halarq ha visto su oportunidad. Sus tropas se están movilizando. Los Servicios de Inteligencia sugieren que comenzarán reclamando los territorios en disputa para luego entrar todo lo que puedan en Jeirut.

–Ese territorio pertenece a Jeirut desde hace más de doscientos años.

–Sin embargo, yo llevo enfrentándome a ellos en

escaramuzas por toda la frontera desde que tenía la edad suficiente para empuñar un arma. Tal vez no te hayas percatado de eso aquí, en la seguridad de la capital, pero mi provincia lleva sufriendo las ambiciones de nuestro enemigo desde hace años. Créeme, está preparado para actuar y, cuanto más tardemos en elegir a un nuevo líder, mejor para él.

Ghizlan abrió la boca para protestar, pero la cerró enseguida. Había una cierta verdad en lo que Huseyn había dicho.

–En ese caso, habla con el Consejo y úrgeles a que tomen una decisión rápidamente.

–La mayoría están a mi favor, pero al Consejo le gusta deliberar. Consideran que una decisión rápida no es adecuada y hay otros dos candidatos, aunque sus candidaturas no son tan fuertes. Si Halarq nos invade, el proceso se llenará de confusión. Necesito actuar inmediatamente y convencer al Consejo de que debe elegir al mejor hombre para proteger al país.

Ghizlan observó su determinación y el brillo de sus ojos y estuvo a punto de creerle, hasta que pensó en su hermana y en la situación que reinaba en palacio.

Comenzó a aplaudir lenta y deliberadamente.

–¡Menuda actuación! He estado a punto de creerme que estabas sacrificándote por el país al reclamar el trono. Sin embargo, si esperas que yo sacrifique mi libertad y me case contigo, estás muy equivocado. Tu retórica no me conmueve.

–¿No vas a hacer esto por tu país?

–¿Por mi país o por ti? –replicó Ghizlan sin poder ocultar su desdén.

–Debería haberme imaginado que no podía esperar demasiado de ti. Ni siquiera te diste prisa en regresar a casa cuando murió tu padre. Evidentemente, tus prioridades están en otra parte.

Ghizlan contuvo la respiración. Era cierto que había evitado regresar a Jeirut cuando se anuló su compromiso con el jeque Idris. Sin embargo, eso había ocurrido a petición de su padre, para evitar que se siguiera hablando de aquel escándalo. Desde entonces, había estado cultivando contactos en el mundo de los negocios que Jeirut necesitaba desesperadamente, ya que quería continuar modernizándose.

Por supuesto, un hombre como Huseyn, cruel y sin educación alguna, no podría comprenderlo.

—Resulta evidente que las noticias tardan mucho en llegar a tu provincia. El polvo en suspensión de un volcán en Islandia canceló miles de vuelos durante días —dijo ella. Había estado a punto de regresar de Nueva York volando hacia el Pacífico, pero no lo había hecho esperando que las predicciones sobre la dispersión de la nube fueran ciertas. Se habían equivocado durante dos días consecutivos—. Vine en el primer vuelo.

Se le entrecortó la voz. Aquello era ridículo. Ella jamás se había sentido cerca de su padre. Ni una vez le había dicho él que la quería. Sin embargo, sintió que se le partió el corazón cuando comprendió que no podría estar presente en su entierro ni para acompañar a Mina.

—No es que me importe tu opinión. Sencillamente jamás me casaría con un hombre al que despreciara a primera vista.

—¿Despreciaras?

—Por supuesto —dijo ella levantando la barbilla.

Huseyn se acercó un poco más a ella. Ghizlan aspiró el aroma a establo y a hombre.

—En ese caso, ¿cómo te explicas esto, *Mi Señora*?

Unas manos grandes e implacables le agarraron los brazos. Entonces, vio cómo el rostro de él se acercaba al suyo.

Capítulo 3

GHIZLAN agitó la cabeza de un lado al otro, pero no consiguió zafarse de él. El vello de su rostro rozaba su piel con una caricia completamente desconocida que le provocaba pequeños escalofríos. Unos cálidos labios, más suaves de lo que se había imaginado, le besaban la mejilla, robándole el aliento.

No iba a gritar. No le daría el placer de revelar temor. En vez de eso, permaneció completamente rígida entre sus brazos.

Sin embargo, no fue miedo lo que experimentó mientras los labios de Huseyn iban dejando un rastro de seducción hasta su oreja. Ghizlan parpadeó, sorprendida ante la extraña sensación que se le estaba formando en el vientre.

Aquello ya había durado más que suficiente.

Movió con fuerza los brazos hacia atrás, tratando de zafarse de él, pero era como luchar contra un gigante. Los dientes de él le mordisqueaban el lóbulo de la oreja. Ella saltó, horrorizada ante la oleada de sensaciones que aquel gesto le producía desde la oreja hasta el vientre, como si él tuviera los hilos y ella, cual marioneta, respondiera. Los pezones se le irguieron, firmes e hipersensibles, contra el sujetador. ¿Sentía él lo mismo?

—¡Basta ya!

Le colocó las manos sobre el torso y se echó hacia atrás, tratando de escapar. Sin embargo, Huseyn era mucho más alto y fuerte que ella. Con un rápido movimiento, agarró las dos manos de Ghizlan y, con la otra, le agarró fuertemente la cabeza e, inexorablemente, levantó el rostro de ella hacia el de él.

Ghizlan vio el reflejo de los ojos azules de Huseyn antes de sentir la boca de él sobre la suya.

Pasión, poder, el rico aroma de la piel de un hombre. La suave abrasión que ejercía la barba contra su piel contrastaba con la fuerza de la boca apretándose contra la de Ghizlan. Todo ello produjo un asalto sobre sus sentidos por parte de un hombre decidido a dominar.

El miedo se apoderó de ella hasta que, de repente, se dio cuenta de que, a pesar del poder de aquel musculoso cuerpo, él se había retirado un poco. De repente, la presión sobre sus labios se alivió y la mano que le agarraba la parte posterior de la cabeza se hizo más suave y comenzó a masajearle suavemente el cabello.

Ghizlan lo miró fijamente, tratando de centrarse en el azul de sus ojos, pero él estaba demasiado cerca. Huseyn se movió ligeramente, atrayendo la parte inferior del cuerpo de Ghizlan hacia la suya hasta que a ella no le quedó duda alguna de la monumental prueba de su excitación. Contuvo la respiración, aturdida. Se dio cuenta de que era demasiado tarde para ocultar su error. Huseyn aprovechó la oportunidad para volver a poseer su boca. Aquella vez, no exigió, sino que sedujo. Sus movimientos eran firmes, pero suaves. La lengua acariciaba la de ella, aprendiendo su tacto y su sabor. Del mismo modo, Ghizlan descubrió que él sabía a almendras y algo más, que resultaba delicioso muy a su pesar. Se dio cuenta también de que disfrutaba de las sensaciones que le producía aquella lengua. Luchó como pudo contra el placer que le producían aquellos lentos y seguros movimientos de labios y lengua, que ya no la forzaban, sino que la invitaban.

La habían besado antes. Besos perfectos y agradables de caballeros también perfectos y agradables. Besos dulces, incluso ansiosos. Sin embargo, nadie la había besado nunca así. Nadie le había exigido tanto para luego seducirla y provocarle sensaciones más peligrosas que ninguna otra cosa que Huseyn pudiera desatar en ella.

Aquel beso la invitaba a relajarse, a seguir la atracción del placer. A ser egoísta, solo una vez. La mano que tenía detrás de la cabeza la sujetaba y también la relajaba, enviándole oleadas de lánguida delicia por todo el cuerpo.

Además, aquel cuerpo tan fuerte contra el suyo... Eso era totalmente nuevo para ella. Resultaba una experiencia eléctrica. Ghizlan había besado y salido con otros hombres cuando era estudiante, pero, siempre consciente de lo que se esperaba de ella y del escándalo que podía producirse si se la sorprendía públicamente, nunca había ido más allá.

Ningún hombre le había hecho sentir el potente anhelo de querer más. Trató de ser fuerte, de no responder hasta que oyó y saboreó el gruñido de satisfacción de Huseyn. Era un asalto sensual, tan real como la mano que la sujetaba o la lengua que la acariciaba. El modo en el que las sensaciones le recorrían todo el cuerpo, despertando una potente excitación, no se parecía en nada a lo que hubiera conocido de antes.

El beso se fue ralentizando, profundizando y se hizo cada vez más lánguido. Los huesos de Ghizlan parecieron perder la dureza. Las manos le ardían contra aquel fuerte torso y, de repente, sin que ella pudiera impedirlo, comenzaron a deslizarse hacia los anchos hombros y a enredarse en los revueltos rizos, abriéndose paso entre ellos para agarrar por fin con fuerza la cabeza de él.

Ghizlan se movió suavemente, colocando la boca de manera que pudiera devolverle cómodamente el beso. Entonces, sintió que le faltaba el aliento cuando la erección se alineaba provocadoramente contra ella.

Huseyn lanzó un profundo gruñido y le rodeó la

cintura con un fuerte brazo, levantándola contra él para que el contacto se hiciera aún más descaradamente sexual. Y delicioso.

Ghizlan gimió de placer. Su cerebro, al igual que su cuerpo, parecía estar completamente acelerado. Una parte de su ser era consciente de que estaba cediendo, de que estaba provocando aquel comportamiento tan poco apropiado. La otra, gozaba con la fuerza del hombre que podía levantarla con un solo brazo como si ella estuviera hecha de algodón. Sin embargo, principalmente, se centraba en el provocador y delicioso beso que deseaba que durara para siempre.

Aquello estaba mal en muchos sentidos, en tantos que casi no podía empezar a contarlos.

De repente, la parte de su conciencia a la que se había preparado desde el nacimiento a centrarse en el deber, a ser un buen ejemplo y a hacer siempre lo adecuado, se despertó y gritó horrorizada. Apartó las manos de los hombros de Huseyn y lo empujó con todas sus fuerzas. Trató de apartar la boca, pero solo consiguió invitarle a mordisquearle el cuello.

—No quiero esto. ¿Me oyes? ¡No lo quiero! —exclamó con desesperación—. Suéltame.

Dejó de empujar para comenzar a darle puñetazos en los hombros. Por fin, muy lentamente, Huseyn levantó la cabeza. La miró fijamente a los ojos. Su mirada era del color del cielo después del atardecer, ese azul fugaz cuando aparecen las primeras estrellas antes de que el cielo se vuelva oscuro.

Huseyn parpadeó. Una. Dos veces. Miró los labios de Ghizlan y ella se sintió horrorizada al darse cuenta de que aquella mirada le parecía una caricia.

—Suéltame...

En aquella ocasión, su voz sonó más suave. No comprendía cómo podía mirarle a los ojos. Los dos sabían que, a pesar de la ira con la que había respondido, se sentía perdida en la magia de aquel beso.

La pasión le rugía en las venas, pero se avergonzaba de haberse rendido tan fácilmente a un hombre como Huseyn.

Se dijo que había respondido así por su inexperiencia. Si hubiera sabido lo que esperar, seguramente habría estado más preparada. Sabía que se tenía por un buen amante y, evidentemente, él utilizaba a su favor la gran experiencia con la que contaba.

—Bueno, eso ha sido muy interesante...

—Ahora ya me puedes soltar.

Huseyn sonrió de un modo que Ghizlan deseó odiar porque el gesto estaba provocado por el orgullo masculino. Estaba encantado consigo mismo porque ella no había podido resistirse. Lo más extraño de todo era que aquella sonrisa aceleraba aún más los latidos del corazón de Ghizlan.

—¿Estás segura de que te puedes mantener en pie?

Aquellas palabras provocaron en ella una reacción visceral. Movió rápidamente la rodilla, apuntando directamente al lugar en el que se centraba su enorme ego masculino. Sin embargo, Huseyn reaccionó más raudo que ella. La rodilla de Ghizlan rozó suavemente los pantalones de él, pero Huseyn ya se había apartado fuera de su alcance con los reflejos propios de un hombre acostumbrado a la lucha y a pelear sucio.

Entonces, la soltó. Ghizlan, con la respiración acelerada, se apoyó contra el escritorio. Rápidamente, se recompuso y se atusó el cabello con celeridad.

—Ya te has divertido a mi costa —dijo ella con voz firme—. Ahora, me gustaría ver al capitán de la guardia, a mis guardaespaldas y a mi hermana.

—Después de que hayamos concluido nuestra conversación.

–Eso puede esperar –afirmó ella.

Esperó ver alguna señal de que él cedía, pero no se produjo ninguna. Huseyn permaneció inmóvil e implacable.

Ghizlan suspiró.

–Supongo que comprenderás que debo verlos. Son mi responsabilidad. Como mi padre ya no está, es mi deber ocuparme de su bienestar –añadió. No se podía permitir seguir mostrándose débil–. Tú sentirías lo mismo respecto a los soldados que están a tu cargo.

Huseyn tenía que admitir que Ghizlan tenía razón. Ella lo comprendía mejor de lo que había esperado. Había apelado a su sentido del deber para con sus hombres, tal y como él hubiera esperado de un rival honorable, de un general al que debía respetar, aunque estuvieran en bandos opuestos.

Jamás hubiera pensado que una hermosa princesa, mimada desde su nacimiento y criada rodeada de lujos, pudiera comprender ese sentimiento de responsabilidad y mucho menos compartirlo.

La observó atentamente. En aquella ocasión, trató de fijarse en más que en la deliciosa boca, la impecable figura, la piel perfecta o el brillante cabello oscuro que había parecido seda entre sus dedos.

Huseyn descubrió una mirada firme, unos hombros tan rectos como los de un soldado haciendo patrulla y una expresión tan fría como la nieve de las montañas más altas de Jeirut. Solo el pulso que le latía con fuerza en la garganta traicionaba aquella fachada. Prendía una llama de satisfacción en él al comprobar que ella se sentía tan afectada por lo ocurrido como el propio Huseyn.

La admiración competía con la impaciencia y el deseo. Quería volver a sentir la boca de Ghizlan contra la suya, ansiosa y generosa, y su delicioso cuerpo apretado contra la potente masculinidad.

Sacudió la cabeza. No había tiempo para dejarse llevar. El futuro de su provincia y de su país estaban en peligro.

—¿Qué es lo que quieres? ¿Que te suplique? ¿Es eso lo que necesitas para sentirte satisfecho?

—¿Lo harías?

Se la imaginó de rodillas ante él, aunque el gesto no tenía nada que ver con las súplicas. Lo que deseaba de aquella orgullosa princesa era algo más satisfactorio, más terrenal.

Ella abrió aquellos labios enrojecidos, libres ya de la coloración del lápiz de labios y, de repente, Huseyn llegó a su límite. La tendría en su cama muy pronto, como su esposa. Así debía ser. Hasta que llegara aquel momento, se negaba a seguir jugando con ella. Sus instintos eran honorables y él lo respetaba.

—No. No espero que me supliques. Espera aquí. Haré que te los traigan a todos para que te puedas convencer con tus propios ojos de que se encuentran bien.

—Sería más fácil si fuera yo misma a...

—No.

Huseyn no iba a permitir que ella anduviera por palacio hasta que todo estuviera solucionado.

—Dame tu teléfono y haré que todos vengan a verte aquí.

—¿Mi teléfono? —preguntó ella perpleja.

—No quiero que te pongas en contacto con nadie en el exterior de palacio hasta que hayamos concluido este asunto —dijo él. Vio cómo Ghizlan miraba de soslayo al teléfono que había sobre la mesa del despacho—. Todas las líneas se han desconectado temporalmente. Todos los aparatos electrónicos han sido confiscados.

—Mientras tú llevas a cabo tu golpe de estado.

—Mientras salvo la nación.

El bufido de desdén que Ghizlan lanzó fue de todo menos regio. Huseyn no pudo evitar una sonrisa.

Ella se dio la vuelta y ofreció a Huseyn una vista de su perfecto trasero mientras se inclinaba para recoger su bolso.

–Toma –dijo ofreciéndole el teléfono–, pero espero que me lo devuelvas intacto. Estoy realizando unas importantes negociaciones y quiero que todos mis contactos y mis mensajes estén intactos.

¿Negociaciones? ¿Con quién? ¿Con su estilista? ¿Con su peluquero? A Huseyn no le importaba. Ella estaría incomunicada hasta que él lo decidiera.

Al extender la mano para tomar el teléfono, rozó levemente la mano de Ghizlan. Una inesperada sensación le recorrió el brazo. Frunció el ceño. No le gustaba lo que había sentido.

Ghizlan retiró la mano y volvió a colocarse la máscara de tranquilidad y paz que llevaba puesta cuando algo la molestaba. Mejor. Le gustaba saber que ella también se sentía tan turbada como él mismo.

–El teléfono se te devolverá intacto mientras obedezcas las órdenes.

Ghizlan arqueó las cejas, pero no dijo nada. Estaba aprendiendo.

–Después de que te hayas asegurado de que todos están bien, volveremos a hablar –dijo él.

Con eso, se dio la vuelta y se marchó. Tenía asuntos de los que ocuparse. Se ocuparía de Ghizlan más tarde.

–Te juro que estoy bien –dijo Mina apretando la mano de Ghizlan–, pero me alegro de que estés aquí. Todo ha sido bastante duro.

Ghizlan asintió. Mina solo tenía diecisiete años. Ya era bastante duro perder a su padre sin, además, verse prisionera en su propia casa.

—¿Estás segura de que no te han hecho daño? Me lo dirías, ¿verdad?

—Por supuesto. Te aseguro que no me han hecho daño. Tan solo me quitaron el teléfono y el portátil y me dijeron que no me podía marchar de palacio. Sin embargo, necesito acceder a Internet, Ghizlan. Es vital.

—¿Vital?

Había sido un alivio ver que su hermana se encontraba bien, al igual que el capitán de la guardia y sus guardaespaldas. Huseyn se había hecho el dueño de palacio con la precisión de un consumado profesional.

El líder de un golpe de estado. Ghizlan no debía olvidarlo. Y un prepotente. Solo había que recordar cómo la había manoseado....

—¿Me estás escuchando, Ghizlan?

—Por supuesto —respondió ella con una sonrisa—, pero aún me estoy acostumbrando a tu nuevo aspecto.

Mina se acarició el cabello oscuro, que dejaba al descubierto el blanco cuello.

—Cuando papá murió, me di cuenta de que al menos podía hacer lo que quería y dejar de fingir que soy alguien que no soy. Yo no soy como tú, Ghizlan. No puedo ser la perfecta diplomática y cumplir con mi deber tal y como se espera de mí. Traté de agradar a nuestro padre, pero no lo conseguí nunca. En cuanto a lo de estudiar Económicas...

—Estás bien como estás, Mina. Eres inteligente, entusiasta y con talento.

En cierto modo, parecía una traición pensarlo, pero con la muerte de su padre Mina era por fin libre para seguir sus inclinaciones y conseguir la vida que quería. Su padre ya no podía constreñirla en una vida diseñada para conseguir un objetivo político tal y como lo había hecho con Ghizlan.

—En realidad, me rebelé hace ya algún tiempo... Antes de que papá muriera, pero él nunca lo supo... Ya sabes que no quiero estudiar Económicas...

–Lo sé...

Su padre había querido mostrar que las mujeres de Jeirut podían triunfar fuera de los campos tradicionales. Por eso, Ghizlan tenía una licenciatura en Ingeniería Química. En su caso, al menos a ella le interesaba la ciencia...

–¿Y qué es lo que has hecho?

–He solicitado plaza en Bellas Artes. Hay una escuela fabulosa en Francia. Ya sabes que ese siempre ha sido mi sueño. En secreto, envié una solicitud y ya han salido las listas, pero no puedo mirar mi correo electrónico. Si me hacen una oferta y no respondo, no me esperarán. Le darán la plaza...

–Tranquilízate, Mina. Estoy segura de que te darán tiempo para responder.

–¿Y si estamos en esta situación durante meses? ¿Y si Huseyn no nos suelta hasta dentro de mucho tiempo? ¿Y si...?

–No te preocupes. No nos puede retener indefinidamente. Su plan es conseguir que se le nombre jeque lo antes posible.

Y ella formaba una parte vital de ese plan. Sin embargo, él descubriría muy pronto que no era un inocente peón. Ghizlan jamás se casaría con él.

–¿De verdad lo crees? Me moriría si tuviera que hacer lo que papá quería para mí.

–Nadie te va a obligar a hacer nada, Mina. Tranquilízate.

El pensamiento se reveló ante Ghizlan con la fuerza de un relámpago. Era cierto. Cuando se proclamara el nuevo jeque, las dos se podrían marchar de palacio. Huseyn no podría obligarla a casarse con él. Lo único que tenía que hacer era permanecer firme. Cuando él se rindiera, las dos podrían marcharse y hacer lo que quisieran con sus vidas. Mina podría estudiar Arte y ella... Frunció el ceño. Había pasado tanto tiempo desde la última vez que pensó en lo que quería en vez de en lo que se esperaba de ella que, así, de repente, no sabía lo que quería hacer con el resto de su vida.

—¿Qué te pasa, Ghizlan? Tienes un gesto muy extraño en la mirada.

Ella sonrió llena de excitación.

—Es porque me acabo de dar cuenta de que, cuando Huseyn al Rasheed consiga lo que quiere, nosotras quedaremos libres para hacer lo que queramos. Nadie podrá detenernos.

—¿Has reclamado mi presencia?

Ghizlan levantó la barbilla para enfrentarse a aquellos ojos azules. El enorme tamaño de aquel hombre podría acobardarla si ella se lo permitiera. Prefirió pensar en eso y no en el modo en el que se le había acelerado el pulso cuando las miradas de ambos se cruzaron.

Antagonismo, desconfianza. Eso era lo que sentía. La extraña excitación que había experimentado cuando él se dio la vuelta del escritorio de su padre fue porque se había dado cuenta de que Mina y ella pronto serían libres de un modo que nunca hubieran creído posible. No tenía nada que ver con los recuerdos de los besos de Huseyn ni con aquella extraña sensación en el vientre cuando él la estrechó entre sus brazos. Además, ella prefería la inteligencia a la fuerza.

—Tan encantadora como siempre —dijo él mirándola de arriba abajo mientras se dirigía a la puerta del despacho para cerrarla.

—¿Acaso quieres que finja que tus matones y tú no habéis invadido la capital o que me olvide de que nos tenéis prisioneras a mi hermana y a mí?

Ghizlan respiró profundamente. Se sintió momentáneamente incómoda cuando noto que él miraba atentamente, como si estuviera fijándose en su cuerpo.

Tonterías. A él no le interesaba. La escena que había representado hacía unas horas había tenido más que ver con el poder que con la atracción. Los hombres como Huseyn al Rasheed disfrutaban así.

—No te rindes, ¿verdad? —dijo él apoyándose contra el escritorio del padre de Ghizlan como si fuera suyo.

—¿Acaso esperas que te trate como a un invitado?

—Francamente, mis modales son la menor de tus preocupaciones, *Mi Señora*. Deberías estar más preocupada por la amenaza que Halarq supone para Jeirut.

—Ah, pero, según tú, yo soy simplemente una inútil. Una princesa mimada, ¿no? Resulta evidente que, por lo que a ti se refiere, de esos asuntos tan importantes solo pueden ocuparse hombres armados. La clase de hombres que burlan la ley y encarcelan a los ciudadanos que respetan las normas.

Los ojos de Huseyn reflejaron ira y murmuró algo entre dientes. Ghizlan entrelazó las manos a la espalda, obligándole a poner bien recta la espalda y a levantar la barbilla.

—¿Te podría hacer una sugerencia? —prosiguió—. ¿Podrías dejar libres a la mayoría de los rehenes? Yo me quedaré, por supuesto, pero mi hermana es solo una adolescente y el personal se podría marchar también mientras esto se soluciona.

—¿Mientras se soluciona? Hablas como si yo estuviera aquí tan solo temporalmente. Te aseguro, *Mi Señora*, que no va a ser así. Ahora, este palacio es mi hogar.

—Una vez que el Consejo te nombre jeque.

—Espero que eso ocurra dentro de un par de días. Ya les he informado de nuestro inminente matrimonio.

–No tenías ningún derecho a eso –afirmó ella con incredulidad.

–Tenía todo el derecho. Estoy tratando de salvar nuestro país. ¿Es que no lo ves?

–Lo que veo es un hombre que está tan decidido a conseguir el poder personal que es capaz de hacer cualquier cosa para lograrlo –le espetó–. No me sorprendería saber que tienes a un ejército rodeando la ciudad, preparado para iniciar una guerra civil.

Huseyn se levantó del escritorio y se acercó a ella con una expresión de altivez y de ira en el rostro.

–Te perdonaré ese comentario en esta ocasión. Cuando me conozcas mejor, no realizarás esos comentarios tan precipitados.

–No tengo intención alguna de conocerte mejor. No me puedes obligar a casarme contigo.

–Si estás tan decidida, *Mi Señora*, así será –le dijo con voz amenazadora–. Simplemente, me casaré con tu hermana. Su sangre real es tan buena como la tuya. Tiene diecisiete años, ¿no? –añadió con una sonrisa–. Sin duda, la encontraré mucho más adecuada a mis necesidades.

Al escuchar aquellas palabras, el corazón de Ghizlan se detuvo en seco. Sintió náuseas. Miró al implacable hombre que estaba ante ella y leyó la determinación que había en su rostro. La certeza que había en su sonrisa. Sintió que el mundo temblaba bajo sus pies.

Una cosa era que su padre tratara de conseguir beneficio casándola con el jeque Idris de Zahrat. Al menos, Idris era un hombre civilizado y culto. Sin embargo, esperar que Mina, su inocente hermana, se casara con aquel bruto...

Sin poder contenerse, Ghizlan levantó el puño y trató de golpear a Huseyn al Rasheed en el rostro con todas sus fuerzas.

Capítulo 4

HUSEYN se apartó justo a tiempo. El golpe le rozó la mejilla un instante antes de que la mano de él agarrara la de ella y la apartara de su rostro. Menos mal que a las princesas no les enseñaban boxeo... y que sus reflejos eran rápidos, gracias a sus años de combates y entrenamientos.

Ghizlan le había sorprendido y podría haberle hecho mucho daño si su técnica hubiera sido más refinada.

Miró su rostro. No había duda alguna de la ira que atenazaba sus ardientes ojos. Si las miradas pudieran matar, él estaría ya bajo dos metros de tierra. ¿Quién habría pensado que ella pudiera reaccionar así?

El respeto que sentía hacia ella fue incrementándose. Cada minuto que pasaba en su presencia solo hacía que Ghizlan le intrigara más y más. La mezcla de hielo y fuego. La lealtad y la responsabilidad por aquellos que la servían le había resultado también inesperada. La imagen de frivolidad se estaba difuminando rápidamente.

Sin embargo, lo que más le sorprendía era su coraje. Huseyn conocía a hombres hechos y derechos, militares, que se retirarían antes de enfrentarse a él. De hecho, Selim se reiría si supiera que una mujer sin entrenamiento alguno había sido capaz de golpearle.

«Te lo mereces por esperar que ella iba a acceder a todo y a facilitarte las cosas. ¿Desde cuándo la vida es fácil?».

No se arrepentía de haber amenazado con casarse con

Mina para convencer a Ghizlan. Aquel matrimonio era la clave del éxito. Haría lo que hiciera falta para mantener a su pueblo a salvo. Sin embargo, no quería a una adolescente en su cama. ¿Qué era lo que tenía Ghizlan que le hacía caer tan bajo? Ya no era un adolescente que no hace más que fastidiar a una chica guapa para conseguir su atención. Lo que tenía entre manos tenía que ver con el futuro de una nación.

Ella tenía los ojos brillantes de ira y la respiración agitada. Con cada movimiento del pecho de Ghizlan, él sentía que la lujuria se iba apoderando cada vez más de él.

La deseaba así, llena de fuego y pasión. Llena de chispa y de espíritu. Apretó un poco más el puño sobre el de ella al sentirse cada vez más excitado... Quería...

Ghizlan hizo un gesto de dolor y frunció el ceño. Fue entonces cuando Huseyn se dio cuenta de lo fuertemente que le estaba apretando la mano. La soltó inmediatamente.

—Te ruego que me disculpes. No quería hacerte daño.

—¿Y te disculpas por eso y no por amenazar con casarte con mi hermana pequeña?

Huseyn se encogió de hombros.

—Casarme con una de vosotras sería la manera de asegurar rápidamente el trono para poder proteger Jeirut. Aliviaría las tensiones con otras facciones proporcionando un vínculo con el linaje de tu padre. A mí me da igual casarme contigo que con tu hermana.

Mentira. ¿Quién querría estar con una adolescente cuando podía tener a Ghizlan?

Ella tan solo le daría problemas. Estaba demasiado acostumbrada a salirse con la suya, pero, a la vez, tenía más agallas y carácter de lo que había esperado, además de un cuerpo hecho para el placer. Deseaba estrecharla entre sus brazos y volver a experimentar la dulzura de sus besos y el sabor de su pasión, que había encontrado tan adictivo.

–¡Mina es una niña!

–Tiene diecisiete años. Por ley, es suficientemente mayor para casarse.

–Solo una bestia podría forzar a alguien tan joven a un matrimonio que no desea. Gracias a mi padre y a mi abuelo, nosotros abandonamos esas tradiciones hace mucho tiempo.

Huseyn se cruzó de brazos y notó cómo ella le observaba el torso. Era la clase de mirada que llevaba recibiendo de las mujeres desde que superó la pubertad y eso le hizo sonreír en secreto. Ghizlan podría fingir que no se sentía atraída por él, pero la curiosidad y el deseo estaban presentes.

–¿Y quién dice que yo estaría obligándola?

–¿Acaso crees que eres irresistible? Deja que te diga una cosa, Huseyn. Ni mi hermana ni yo seríamos lo suficientemente estúpidas como para enamorarnos de un hombre como tú.

–Entonces, lo de deshacerte en mis brazos, besarme como si no hubieras conocido nunca un hombre..., ¿así es como me demuestras lo inmune que eres a mí? ¿Es eso lo que estás diciendo?

Ghizlan entornó la mirada y lo miró con desprecio. Fuera cual fuera la actitud que Ghizlan quisiera adoptar, las dos personalidades de Su Alteza Real le resultaban igual de atractivas. Tenía que solucionar el tema de la boda y seguir con su vida. Todo lo referente a Ghizlan le distraía demasiado.

–Conocer a tu enemigo es una táctica comprobada y muy útil –replicó levantando la barbilla.

Huseyn abrió los brazos y la invitó a invadir un poco más su espacio.

–Pues siéntete libre de hacerlo, *Mi Señora*. Me parece perfecto que me conozcas a un nivel más íntimo si es eso lo que te apetece.

–Eres un bastardo y un arrogante.

Huseyn ya no pudo contener la sonrisa. ¿Quién se hubiera podido creer que llegaría a escuchar aquel lenguaje en labios de una dama tan elegante?

–Un bastardo sí soy, aunque mi padre se tomó la molestia de reconocerme antes de morir.

Lo dijo con naturalidad, sin expresar lo que sentía ante el hecho de que su padre hubiera esperado más de treinta años para hacerlo. Su padre se había apoyado en él durante años, pero nunca había sentido verdadero afecto por el muchacho que apareció ante él vestido con harapos y que le demostraba su lealtad una y otra vez.

–Pero lo de arrogante... no. Conozco mi valía mejor que nadie. Me he pasado la vida entera demostrándola.

De repente, su buen humor desapareció. ¿Qué pensaba que estaba haciendo jugando a juegos dialécticos con aquella mujer? Ella no tenía ni idea de cómo vivía la gente de verdad. La gente que nacía en la pobreza y que vivía junto a una frontera llena de peligros, donde cualquier noche una incursión podría provocar destrucción y muerte.

–Quiero que sepas que tengo la intención de gobernar Jeirut y voy a hacerlo pronto. Eso significa que tendré que casarme contigo o con tu hermana. No hay negociación ni discusión. No me importa si te crees que lo hago por gloria personal. Y me importa menos aún que creas que soy un bárbaro.

Dio un paso al frente e invadió el espacio de Ghizlan, de modo que ella tuvo que echar la cabeza atrás. Sin embargo, la princesa mantuvo su posición.

En aquella ocasión, el delicioso aroma a miel de la piel de Ghizlan acicateó la impaciencia de Huseyn. Él estaba más acostumbrado al olor del sudor y del miedo, al del trabajo duro, la sangre y el polvo. Ghizlan era una distracción que no necesitaba.

–Te daré hasta mañana por la mañana para que te

hagas a la idea y accedas a ser mi esposa. Si tu respuesta
es no, me casaré con tu hermana.

Se tomó un momento para mirarla y notó su miedo,
a pesar de que ella trató de ocultarlo desesperadamente.
Para su sorpresa y sin poder contenerse, extendió la
mano y le colocó un mechón de cabello detrás de la
oreja con una mano dura y grande contra la sedosa perfección de su rostro.

Si había pensado que se la ganaría mostrándose
amable con ella, se había equivocado. Ghizlan se echó
a temblar al notar el contacto, mostrándole abiertamente su rechazo. Para ella, no era más que un salvaje.

—Vendré a conocer tu respuesta a las nueve.

Con eso, Huseyn se dio la vuelta y se marchó.

—¿Estás segura de que conoces el camino? Llevamos
mucho tiempo andando... —susurró Mina a sus espaldas.
La joven iba caminando por la oscuridad del sótano detrás de Ghizlan. ¿Había miedo o excitación en su voz?

Ghizlan esperaba que se tratara de excitación. Ella
ya tenía suficiente miedo por las dos después de recorrer la pared exterior del palacio desde sus ventanas.
Odiaba las alturas. Aún recordaba el pánico que había
sentido al tener que subirse al alféizar. En silencio,
maldijo a Huseyn al Rasheed. Los sensores de movimiento que había colocado en las puertas de las habitaciones de las dos hermanas significaban que la única
manera de escapar era por las ventanas y recorriendo
los muros exteriores, que, en su lado, daban a parar a
un profundo valle.

—Estoy segura —afirmó—. Parece que llevamos mucho
tiempo porque vamos muy lentas. Sin embargo, necesitamos ahorrar la pila de la linterna para más tarde.

Sin sus teléfonos móviles, la única fuente de luz que

tenían era una pequeña linterna que Ghizlan había encontrado en un cajón. Sin embargo, la luz era muy tenue y no confiaba en que la pila durara mucho tiempo. Prefería reservarla para más tarde.

–Ya estamos... –dijo, deslizando la mano por la fría piedra del sótano. Había encontrado un rincón y la pared se plegaba en los ángulos esperados–. ¡Esto es!

El alivio se apoderó de ella. Después de horas considerando las posibles maneras de escapar de palacio, había decidido que el túnel abandonado era su única esperanza. Excavado en la roca, el antiguo corredor que conducía hacia la ciudad llevaba muchos años en desuso, completamente olvidado.

–Estupendo –susurró Mina–. Este lugar me pone el pelo de punta –añadió. Inmediatamente, encendió la linterna, que resultaba muy brillante después de tan profunda oscuridad–. Necesitas luz para abrir la cerradura.

Si era capaz de abrirla. De niña, las antiguas cerraduras de palacio la habían fascinado con sus intrincados mecanismos. Sin embargo, había pasado una eternidad desde que Azim le mostró el secreto para abrirlos. Todas habían sido reemplazadas por modernos mecanismos de seguridad. Esperaba que todas menos aquella.

Respiró aliviada al comprobar gracias a la luz que le ofrecía Mina que, efectivamente, aquella antigua puerta tenía aún la antigua cerradura. La tocó suavemente, tratando de recordar las instrucciones que Azim le había dado como si fueran susurros en sus oídos.

–¿Podrás abrirla? –le preguntó Mina.

–Puedo intentarlo.

Ghizlan se arrodilló y respiró profundamente. Era precisamente así de alta cuando Azim le había mostrado el truco. Se trataba de una cerradura que, a pesar de tener agujero para la llave, no la necesitaba si eras uno de los pocos que conocía el secreto.

Los dedos fueron moviéndose poco a poco con más seguridad. Se escuchó un «clic» cuando funcionó una palanca oculta. Ghizlan lanzó una maldición cuando la siguiente se negó a moverse. Imposible. Ghizlan se mordía el labio inferior, preguntándose si se habría equivocado o la cerradura se habría encajado por la falta de uso. Un sudor frío le recorría la espalda ante la idea de que hubieran perdido su única oportunidad de escapar. ¿Cómo podría proteger a Mina si...?

Con un lento y chirriante movimiento, las piezas se colocaron y, por fin, la puerta se abrió.

–¡Lo has conseguido! –susurró Mina exultante.

Ghizlan se quedó inmóvil y presa de la incredulidad. La suerte estaba de su lado. Hasta aquel momento, no se había permitido creerlo.

–Vamos, salgamos de aquí.

Mina ya estaba extendiendo la mano para agarrar la anilla de metal de la puerta.

–No. Espera. Deja que vaya yo primero. No sabemos qué es lo que hay al otro lado del túnel y si sigue estando abierto. Yo he venido por aquí antes. Deja que vaya yo primero. Una persona hará menos ruido que dos.

Mina protestó.

–¿Acaso crees que sigo teniendo miedo de las arañas?

No era precisamente en las arañas en lo que Ghizlan estaba pensando, sino en los soldados. No estaba segura de que los soldados que Huseyn había llevado con él a palacio respetaran a un par de mujeres sin protección si se las encontraban en la oscuridad.

–Si no he regresado dentro de quince minutos, vuelve sobre tus pasos y regresa a tu habitación.

–Estás de broma, ¿no?

Ghizlan agarró a su hermana por una muñeca y la miró a los ojos.

–Hablo en serio. No sabemos en lo que nos estamos metiendo. Déjame hacer esto sin protestar, te lo ruego.

Al final, Mina asintió y le entregó a su hermana la pequeña linterna.

–Ten cuidado.

–Puedes estar segura de ello.

Ghizlan abrió la puerta e hizo un gesto de dolor al escuchar cómo los goznes rechinaban contra el silencio. Apagó la luz y contuvo la respiración cuando atravesó la puerta y volvió a juntarla a sus espaldas.

El aire era diferente en el túnel. Parecía más fresco. Eso le insufló esperanza, pero permaneció en silencio, escuchando. Después de unos minutos, se arriesgó a encender la linterna y lo que vio le alegró el corazón. El túnel desaparecía en la oscuridad. No parecía haber nada que bloqueara el paso.

Apagó la linterna y se movió hacia la pared del túnel. Con las manos apoyadas contra la pared, comenzó a caminar.

Contó tres rincones en el túnel. Al doblar el último, tuvo que ahogar una exclamación de excitación. En la distancia, se veían las luces de la ciudad. La precaución la hizo esperar, escuchando cómo el pulso le latía erráticamente.

Por fin, después de esperar varios minutos, Ghizlan se asomó al final del túnel. Nada. No había señal alguna de vida a su alrededor, por lo que decidió regresar a buscar a Mina. Sin embargo, tenía que estar segura primero.

Apartó con cuidado los arbustos que cubrían la entrada del túnel. A pesar de que se trataba de una zarza, aguantó el dolor cuando la piel y las ropas se enganchaban en los pinchos. Cerró los ojos para protegérselos y, por fin, con un profundo alivio, apartó las últimas ramas.

Salió al exterior y se topó con algo duro y cálido. Demasiado familiar. La desesperación se apoderó de ella.

Debería haberse imaginado que no iba a resultarle tan fácil.

Abrió los ojos al notar que dos fuertes manos le agarraban los brazos.

—Vaya, vaya, vaya... ¿Qué es lo que tenemos aquí? —dijo la voz de Huseyn.

Los ojos de Ghizlan se llenaron de lágrimas. Habían estado tan cerca de alcanzar la libertad...

—¡Deja de apretarme tan fuerte! —exclamó ella. Tenía los senos aplastados contra el torso de Huseyn y un aroma masculino muy terrenal la envolvía. Resultaba bastante agradable después del olor húmedo y cerrado del túnel.

Ella se echó hacia atrás todo lo que pudo. Bajo la luz de las estrellas vio la sonrisa de Huseyn. Parecía muy complacido consigo mismo. Deseó con todas sus fuerzas poder borrarle aquella sonrisa de los labios...

—¿Es así como te diviertes? ¿Maltratando mujeres?

La sonrisa desapareció de sus labios y se vio reemplazada por un sombrío gesto que le hizo parecer más formidable que nunca. La empujó, pero no le soltó los brazos.

La llama que había ardido brevemente en el pecho de Ghizlan se apagó y se convirtió en cenizas. ¿De verdad había creído que podrían escapar Mina y ella de él? Era como el genio de los cuentos antiguos, un genio que contaba con poderes infinitos y que era capaz de burlarse de los esfuerzos de los indefensos mortales por evitar su destino.

Un temblor le recorrió todo el cuerpo. A pesar de la desesperación que le atenazaba la garganta, lo miró a los ojos. Tal vez terminaría derrotada, pero caería luchando.

—No te rindes, ¿verdad?

Huseyn había sabido desde el primer momento que

ella suponía problemas por su actitud desafiante y su pecaminoso cuerpo. Por supuesto, era demasiado esperar que la altanera princesa Ghizlan aceptara de buen grado lo inevitable, en especial cuando lo inevitable lo incluía a él, un soldado de baja estofa, en su inmaculada cama. Sin duda, ella reservaba aquel privilegio para los que tenían la sangre tan azul como ella.

—¿Te rendirías tú en mi situación?

—Tengo mejores cosas que hacer esta noche que jugar a las adivinanzas contigo. No me gusta que me interrumpan cuando estoy ocupado.

Había estado en una reunión con algunos de los líderes que deseaban que él reclamara el trono. Con suerte, podrían terminar con aquello rápidamente y...

—¿A las dos de la mañana? —se mofó ella levantando la barbilla—. No me permitas retenerte. Espero que sea una que te haya seguido aquí desde tu casa y no alguien del palacio a la que hayas forzado a meterse en tu cama.

Huseyn apretó los dientes. Ghizlan tenía la habilidad de provocarlo, a él, un hombre conocido por su paciencia.

—Ten cuidado. Incluso un despreciable bárbaro tiene su orgullo. Estoy cansado de la implicación de que la única manera en la que puedo meter a una mujer en mi cama es forzándola. Un comentario más como ese y empezaré a preguntarme qué interés tienes tú en mi actividad sexual. Y también podría verme tentado a demostrarte que no se necesita fuerza.

Comprobó que, por primera vez desde que se conocieron, la había dejado sin palabras. Y eso le gustó.

—Si me sueltas...

—¿Qué? ¿Qué es lo que piensas hacer? Creo que no lo haré... ¿Qué demonios creías que estabas haciendo caminando por la muralla exterior de palacio? ¡Podrías haberte caído y haberte matado!

Huseyn no había querido creer el informe cuando se lo contaron. Sin embargo, el guardia que había informado al respecto era uno de los mejores hombres de Selim y aseguraba haber visto a las dos mujeres con sus propios ojos.

Eso había hecho pensar a Huseyn. Las dos mujeres estaban tan asustadas de él que habían puesto en riesgo sus vidas. No, en realidad no estaban asustadas de él. Lo que les asustaba era tener que realizar un sacrificio por su pueblo en vez de vivir con lujosa despreocupación.

—¿Acaso te preocupaba que te culparan? —le preguntó ella con desprecio.

—Me preocupaba que os rompierais vuestro precioso cuello. ¿Eres consciente de que podrías haber matado a tu hermana o acaso no se te ocurrió pensarlo?

—No finjas que Mina o yo te importamos en lo más mínimo. Lo único que te preocupa es que hubieras tenido que limpiar nuestros restos de los acantilados y luego habrías tenido que explicar lo que nos había llevado a huir de palacio.

Huseyn respiró profundamente para tranquilizarse. Estaba acostumbrado a que la gente le obedeciera sin rechistar o le expresara su gratitud por lo que hubiera hecho por ellos.

—Si quieres saber lo que se siente realmente al temer por la vida, vete a Jumeah e instálate en uno de los pueblos de la frontera. Los hombres del emir atacarán allí primero cuando decidan invadir Jeirut. Entonces conocerás el verdadero terror.

Su voz estaba plagada de recuerdos. Recuerdos en los que llegaba demasiado tarde para impedir un ataque e incluso recuerdos más antiguos, de su infancia, en los que escapaba a un ataque por los pelos y luego descubría que su madre no había tenido la misma suerte.

–Si sobrevives a eso, luego ven a hablar conmigo sobre el miedo.

Esas palabras consiguieron que Ghizlan guardara silencio. Por una vez, le estaba sometiendo a un escrutinio que tenía más que ver con la curiosidad que con el desprecio.

–Ahora me gustaría que te marcharas –dijo ella tranquilamente, como si por fin hubiera comprendido la urgencia que lo empujaba–. Tengo que volver con mi hermana. Estará preocupada.

Huseyn dejó escapar un suspiro como si así pudiera hacer desaparecer el aroma a sangre y a desesperación, tan real como si la matanza acabara de ocurrir en vez de haber sucedido hacía décadas.

Con mucho cuidado, soltó los hombros de Ghizlan, sorprendido de que le costara tanto hacerlo. Ella no representaba más que problemas para él y, sin embargo...

–Tu hermana está siendo acompañada a sus habitaciones mientras hablamos. Cortésmente y con la mayor delicadeza, por supuesto.

Ghizlan asintió.

–Por supuesto. Es mejor que me vaya a verla.

Huseyn quería dejarla marchar, pero tenía que asegurarse de que no habría más huidas suicidas. Incluso después de lo ocurrido, no podía creerse que las dos hubieran decidido escapar de aquella manera, por el lugar más peligroso de palacio.

–Tienes que darme tu palabra de que no volveréis a intentar escapar.

Ella se rio débilmente.

–No veo por qué debería hacerlo.

–O eso, o tendré que poner un guardia en cada uno de vuestros dormitorios.

Ghizlan contuvo la respiración y entornó la mirada.

–Ciertamente juegas muy sucio –dijo ella con desdén.

–Yo no juego, *Mi Señora*. Hablo muy en serio. Cuanto antes aprendas que la vida no es un juego, más fácil será para ti.

–Nunca tuve el lujo de poder creerlo. Y cuanto antes comprendas que no soy un peón sin voluntad propia que puedes utilizar para tus propios fines, mejor será. Interferir en la vida de la gente tiene consecuencias. Y puede que no te gusten.

No había bravuconería en la voz de Ghizlan, pero a Huseyn no se le había pasado el tono de amenaza.

–Estoy dispuesto a aceptar esa posibilidad.

–¿Aceptarás también mi palabra de que no volveremos a intentar escapar?

–Dadas las circunstancias, sí –dijo él. No trató de explicarle que, por muy mimada y pretenciosa que ella pudiera ser, la princesa Ghizlan tenía un fuerte sentido del honor que le impedía incumplir una promesa. El amor por su pueblo era señal inequívoca de ello.

–En ese caso, tienes mi promesa. Hasta mañana por la mañana –replicó ella mirándole fijamente a los ojos.

Ghizlan no se rendía, aunque su destino era caer derrotada. Sin embargo, él tendría mucho cuidado de no decepcionarla en el proceso. A pesar de su habilidad para enfurecerlo, la respetaba profundamente en eso.

Con un elegante ademán, le indicó que lo precediera en el sendero que llevaba de vuelta a palacio. Ghizlan obedeció. Se dio la vuelta y echó a andar con la cabeza muy alta.

Huseyn se pasó una mano por la nuca y se frotó los músculos que tanta tensión le provocaban. Se obligó a apartar la mirada de la fascinante y frustrante mujer que caminaba delante de él meneando cadenciosamente las caderas para centrarse de nuevo en las frustradas negociaciones de aquella noche.

Le resultó muy difícil, mucho más difícil de lo que debería haber sido.

Capítulo 5

GHIZLAN caminaba por el pasillo que conducía a los establos. Sus pasos resonaban en las piedras. Se había puesto unos zapatos de charol con un tacón muy alto que gritaban su elegancia a los cuatro vientos y le daban unos centímetros más de altura. Después de una noche de insomnio, utilizaría todas las ventajas de las que pudiera disponer para enfrentarse a Huseyn al Rasheed.

Seguía odiándole. Su comportamiento era odioso y sus planes cuestionables. Sin embargo, la noche anterior, cuando le habló del miedo, comprendió que él no estaba fingiendo y algo cambió dentro de ella.

Evidentemente, era un hombre ansioso de poder, egoísta y brutal. Sin embargo, parecía fiel a su palabra. Efectivamente, no había habido guardia alguno ni en el interior ni en el exterior de las habitaciones de las dos princesas la noche anterior. De hecho, Mina seguía durmiendo, cómoda y feliz, como si no hubiera desconocidos patrullando por el palacio real. Solo por eso, Ghizlan le estaba profundamente agradecida.

Huseyn al Rasheed era un enojoso rompecabezas. Un hombre al que no debía tomarse por lo que parecía a simple vista. Sin embargo, una parte de ella sentía la tentación de pensar que él realmente creía lo que decía, por muy extraño que todo pareciera resultar.

Se colocó bien la chaqueta del traje que llevaba puesto, de color rojo en aquella ocasión. Otra pequeña ayuda para la que, seguramente, sería la entrevista más difícil de toda su vida.

A menos que él hubiera cambiado de opinión. No pudo evitar sentirse esperanzada. Eran más de las nueve y él no se había presentado en el despacho del padre de Ghizlan. Aparentemente, estaba demasiado ocupado en los establos para reunirse con ella y exigirle que respondiera a su pregunta. Tal vez, después de todo, ya no necesitaba casarse con un miembro de la realeza.

Ghizlan se colocó la mano sobre el corazón para tratar de tranquilizarlo. Tal vez era una mujer optimista, pero no estúpida. Las posibilidades de que él hubiera cambiado de opinión eran mínimas. Lo más probable era que quisiera que ella acudiera a los establos para ponerla en su lugar y dejarle claro la baja opinión que tenía de ella.

Un fuerte relincho llegó a sus oídos, acompañado de un golpe y de un rápido movimiento de cascos. Entonces, escuchó voces masculinas que parecían preocupadas.

Apretó el paso con curiosidad. Por fin, llegó a uno de los patios que había en los establos y que estaba rodeado por unos soportales. La arena estaba iluminada por el sol, por lo que ella se ocultó debajo de uno de los arcos, parpadeando.

Los hombres rodeaban el perímetro del patio. En la arena, había un enorme caballo castaño. Sus músculos relucían bajo la luz del sol con cada uno de los movimientos, parecidos a los pasos de un baile. Meneó la cabeza y las crines se extendieron por el aire como un abanico de seda. Sobre el lomo, un jinete de anchos hombros y recta espalda. Se movía como si fuera parte del caballo. Parecía estar aparentemente relajado, pero tenía los pantalones cubiertos de polvo y la camisa rasgada en el pecho, como si hubiera estado en una pelea.

Sin previo aviso, el semental levantó las patas trase- ras muy altas en el aire. Todos los presentes contuvie- ron la respiración, pero el jinete se mantuvo firme y se inclinó hacia delante para susurrar suavemente al caba- llo. Los poderosos cascos pateaban el suelo con una fuerza capaz de hacer saltar chispas. De repente, echó a correr, saltando y retorciéndose con el objetivo de de- rribar a su jinete.

Ghizlan dio un paso atrás cuando jinete y caballo pasaron a su lado. A pesar de la velocidad, quedó im- presa en su retina una imagen: la sonrisa que se refle- jaba en el rostro del jinete. En el rostro de Huseyn. Una sonrisa de felicidad, como si domar un caballo que quería derribarlo y patearlo fuera el entretenimiento más maravilloso del mundo.

Aquella sonrisa... Se recostó contra una columna tratando de volver a respirar. Aquella sonrisa le había provocado extrañas sensaciones por todo el cuerpo. La adrenalina le vibraba en las venas, no solo por el peli- gro del que acababa de ser testigo, sino por la esplén- dida y blanca sonrisa del hombre al que tanto odiaba.

El corazón le latía a toda velocidad. Aún no se había recuperado cuando el semental, como un suave ge- mido, se detuvo en el medio de la arena completamente dócil. Huseyn se inclinó hacia él y le golpeó suave- mente en el cuello mientras le hablaba muy suavemente. Por fin, sin orden aparente del jinete, el animal se diri- gió tranquilamente hacia un mozo que le estaba espe- rando entre las sombras. Tras darle un último golpecito en el cuello, Huseyn desmontó y el caballo, completa- mente manso, dejó que se lo llevaran a los corrales.

Ghizlan nunca había visto algo similar. Su secues- trador era un jinete de inmensa pericia. Prefería pensar en eso y no en la sonrisa de Huseyn. Aquella imagen le había resultado impactante.

Un mozo le susurró algo al oído y él se dio la vuelta. La sonrisa había desaparecido de sus labios.

Ghizlan se dijo que se alegraba. No quería verlo sonreír de aquel modo.

Todos los presentes fueron desapareciendo lentamente y los fueron dejando solos. Huseyn se dirigió hacia ella. El desgarro que había sufrido la camisa revelaba un torso poderoso, cubierto de vello oscuro. Ghizlan no pudo evitar fijarse en él antes de ser consciente de lo que estaba haciendo y pasar a mirarle el rostro y aquellos increíbles ojos azules. Eran como el cielo después del alba, límpidos, claros y fríos. Como si no hubiera ocurrido nada, como si no hubiera habido peligro alguno.

—¡Te podrías haber matado! ¿Es que no tienes ni una pizca de sentido común? —le recriminó antes de que pudiera contenerse. Inmediatamente parpadeó y se tragó el resto de las palabras que hubiera podido pronunciar.

Huseyn frunció el ceño. El cabello negro tenía un aspecto brillante. Horrorizada, Ghizlan sintió un hormigueo en las yemas de los dedos. Apretó los puños con fuerza.

—¿Acaso estabas preocupada por mí?

Estaba de pie ante ella con un aspecto desaliñado. Tenía un poco de sangre a lo largo del desgarro de la camisa. Sin poder evitarlo, Ghizlan sintió un profundo terror al imaginárselo tumbado sobre la arena muerto. Resultaba algo absurdo. Se sintió avergonzada.

—¡Por supuesto que no! ¿A mí qué me importa si te rompes la cabeza? De hecho, resolvería muchos problemas. Solo... Bueno, me dejaría sola con tu horda de seguidores.

—Ah. Mis seguidores. Te refieres a los soldados disciplinados y perfectamente entrenados que consiguieron reducir a tus supuestos guardaespaldas sin un solo golpe. ¿Te preocupaba que cayeran presa del pánico si de repente me veían muerto?

Entonces, sonrió. Se empezó a reír de ella porque Ghizlan había sido lo suficientemente estúpida como para expresar preocupación por él, por su enemigo. ¿O acaso se reía porque, de algún modo, había presentido la respuesta que su poderoso y masculino cuerpo había producido en ella?

La ira se apoderó de ella. Aquella humillación era ya demasiado.

—¿Te parece gracioso? Te aseguro que estar a merced de hombres armados no es motivo de diversión ni para mi hermana ni para mí. Tal vez a ti te parezcan maravillosos, pero yo solo veo un puñado de cobardes que dominaron a hombres mucho mejores que ellos amenazando con hacerle daño a mi hermana. La clase de hombres que son capaces de tener prisionera a una niña no son la clase de hombres en los que yo confiaría.

La sonrisa había desaparecido del rostro de Huseyn cuando le agarró el brazo con la mano.

—Vamos. Este no es lugar para esta clase de conversación.

Ghizlan comprobó que, ni siquiera con aquellos tacones tan altos, le llegaba a la altura de los ojos. Cuando él la empujó para que echara a andar hacia el pasillo, se vio rodeada por su cálido y masculino cuerpo. Por ello, apretó los pies contra el suelo y le miró con desaprobación.

—No soy un saco de patatas que puedas llevar de un sitio a otro. Solo tienes que pedirme que me mueva, no empujarme así. Además, tú fuiste el que no tuvo la cortesía de reunirse conmigo a las nueve. He tenido que venir a buscarte.

—Y a los establos nada menos. Eso debe de haberte

molestado mucho. Este lugar es demasiado bajo para un miembro de la realeza.

Ghizlan estuvo a punto de informarle que se había pasado horas en los establos. Montar a caballo había sido su pasión hasta que su padre decidió que tenía que centrarse en otras actividades más útiles.

—¿Significa eso que estás listo para hablar ahora? ¿O acaso tu tiempo de ocio es más importante?

—Si tú estás lista, *Mi Señora...* —replicó él sin contestar a la pregunta de Ghizlan.

—Sí, estoy lista.

Ella se dio la vuelta y echó a andar, consciente del ruido que hacían los altos tacones sobre el suelo de piedra y también de que él la estaba mirando. Esa mirada provocaba en ella extrañas sensaciones que prefería no analizar. No quería, pero eso no evitaba que fuera consciente de ello a cada paso.

La sensación de claustrofobia que le provocaba aquella situación la llevó a detenerse en un balcón desde el que se dominaba el valle en vez de dirigirse al despacho de su padre. Desde allí, se divisaba la peligrosa ruta que Mina y ella habían tomado la noche anterior. Solo pensarlo le provocaba náuseas.

Se apoyó sobre la balaustrada y aspiró el aire fresco de las montañas sin apartar la mirada del inmenso desierto que se extendía prácticamente desde la falda de la colina hasta donde alcanzaba la vista.

—¿Tienes ya la respuesta? —le preguntó Huseyn.

—Cómo no.

—¿Y bien?

—Si yo accediera a casarme contigo, tendría mis condiciones.

—Tú dirás.

—En primer lugar, mi hermana se marcharía del país antes de la boda.

—Inmediatamente después.

—No me basta.

—¿Acaso no confías en que cumpla mi promesa?

—No has hecho nada para ganarte mi confianza.

—Anoche cumplí mi palabra. No había guardias apostados en vuestras habitaciones.

—Cierto, pero hasta tú debes darte cuenta de que no es lo mismo. La única manera en la que consideraría esta... solución, sería saber que Mina estará libre —añadió ella, mientras apretaba con fuerza la balaustrada entre las manos.

—Tienes mi palabra como jeque de Jumeah. Te lo juro por mi honor y por la memoria de mi madre —añadió al ver que ella no respondía. Tendré un avión preparado para llevarla donde quiera ir.

—A Francia. Quiere ir a Francia.

De repente, Ghizlan comprendió que, si cedía, podría ser que pasaran años antes de que volviera a ver a Mina. Parpadeó y trató de mantener la tranquilidad a pesar de que se estaba desmoronando por dentro.

—A Francia entonces.

—En cuanto la ceremonia termine —dijo ella. Se dio la vuelta y se enfrentó a la mirada plateada de Huseyn.

—De acuerdo.

—Y no habrá intento alguno de congelar nuestras cuentas bancarias.

Huseyn frunció el ceño. Ghizlan comprendió que él se estaba preguntando cómo de grande era la fortuna de la que disponían las dos hermanas. Tal vez resultaría más fácil decirle lo lejos de la verdad que aquello estaba, dado que, desde la edad de dieciséis años, las dos vivían de unas herencias más bien modestas que les habían dejado sus respectivas madres. El tesoro real solo pagaba los viajes oficiales y los lujosos vestidos que requerían para los eventos más formales.

–De acuerdo.

–Y...

–Creo que ya has negociado bastantes concesiones.

–No creo que el derecho a viajar y a mantener nuestras posesiones sea ningún tipo de concesión. En un entorno civilizado, se darían por sentado.

Huseyn entornó la mirada.

–Solo cuatro puntos más.

–¿Cuatro? Está bien. Tú dirás.

–Liberarás a todos los prisioneros que hayas hecho sin daño alguno.

–Sí. Había pensado hacerlo. Después de la boda.

–Mina y yo tendremos acceso a nuestras cuentas de correo electrónico desde este mismo instante.

–Eso no lo puedo permitir.

–¿Porque fomentaríamos problemas? Te aseguro que no tengo interés alguno en un derramamiento de sangre. Sin embargo, tengo varios asuntos comerciales que necesitan atención. Además, Mina está esperando noticias que podrían determinar su futuro.

Huseyn pareció considerar aquel punto durante unos segundos.

–Está bien –dijo por fin–. Sin embargo, será bajo supervisión.

–Imposible. Necesitamos intimidad.

–Pensaba que habías dicho que se trataba de asuntos comerciales –comentó él con incredulidad.

Recordó que le había dicho que era una inútil. Seguramente, pensaba que utilizaría la red para ponerse al día de los chismorreos con las amigas en vez de para iniciar nuevos proyectos que mejoraran la vida de las personas y abrieran nuevas oportunidades.

Podría tratar de explicarle sobre los modernos sistemas de reciclado de aguas en ciertas ciudades o de la primera industria farmacéutica, que se iba a construir en la capital. O de su otro proyecto, que aún estaba en las etapas preliminares. Sin embargo, algo le decía que Huseyn no la creería.

–¿Qué te parece si alcanzamos un punto medio? Leemos los mensajes en privado, pero las respuestas se pueden ver antes de enviarlas.

–De acuerdo. Eso son dos puntos. ¿Cuáles son los otros dos?

–Que podré realizar mis asuntos sin ninguna traba.

–Claro. A condición de que tu comportamiento se corresponda con el que se espera de la esposa de un jeque.

–¿Acaso crees que sería capaz de arrastrar tu nombre por las calles?

–Te aseguro que no lo permitiría –dijo él, de un modo que no dejó lugar a dudas.

Ghizlan contuvo el aliento para no responder de un modo que estaba segura de que lamentaría. Necesitaba alcanzar un acuerdo con él. No podía perder los nervios ni el control.

Sin embargo, su voz, cuando pudo articular palabra, sonó muy débil.

–Sé mucho mejor que tú cómo debe comportarse la esposa de un jeque. Créeme si te digo que no tengo intención alguna de mancillar la memoria de mi padre ni mi buen nombre solo por hacerte la vida difícil.

Su vida había estado marcada por el deber y por cómo debía ser el comportamiento de una princesa. Si había alguien que pudiera destruir la reputación de la familia real, era aquel bruto insolente. Sin embargo, tendría que aprender. Eso le hizo sonreír.

–¿De qué te estás riendo? –preguntó él con sospecha.

–Solo estoy esperando a que accedas –respondió ella con inocencia–. Mi pueblo esperará verme como de costumbre. Eso será señal de que todo va bien y de que ha habido un traspaso de poderes pacífico.

–Muy bien. Serás libre dentro de las fronteras de Jeirut. Sin embargo, se me informará de todos tus movimientos y, si descubro algo inapropiado... –comentó, dejándolo en el aire–. En cuanto a tu última petición, ¿de qué se trata?

Ghizlan sintió que se le hacía un nudo en la garganta. Había llegado hasta allí y había conseguido sus propósitos. Tenía que conseguir el último también. Se soltó de la balaustrada y se volvió para mirarlo.

–Cuando llegue el momento, no te opondrás a nuestro divorcio.

–¿Cuando llegue el momento?

–Sí. Cuando el pueblo haya tenido tiempo de aceptarte y te hayas establecido como jeque, ya no me necesitarás. Solo te hago falta para realizar la transición. Cuando lo hayas conseguido, no me necesitarás en tu vida. Me marcharé y tú podrás elegir una esposa que vaya mejor contigo.

Alguien obediente y dócil. Sin duda hermosa, menuda y delicada. Alguien a quien le impresionaran sus músculos y su aire marcial. Alguien que deseara por encima de todo que un hombre le gobernara la vida.

Alguien completamente diferente a ella.

Huseyn guardó silencio durante unos instantes. Entonces, asintió. Ghizlan sintió un alivio tal que tuvo que agarrarse de nuevo a la balaustrada para no derrumbarse sobre el suelo.

–Cuando no te necesite, nos divorciaremos. ¿Eso es todo?

Ghizlan asintió. Le resultaba imposible pronunciar palabra alguna.

–Bien. Nos casaremos a finales de semana.

Ella abrió la boca para protestar, pero se lo pensó

mejor. Faltaban dos días para que terminara la semana. Necesitaba más tiempo para acostumbrarse a la idea de aquel cuestionable matrimonio o para poder planear cómo escapar.

Huseyn le agarró la mano y se la estrechó. El gesto resultó desconcertante. Sintió el calor de su mano, la rudeza de su piel. Debería haber sido la manera habitual de sellar un acuerdo comercial, la mera confirmación de un compromiso verbal.

Sin embargo, la oleada de sensaciones que atravesaba su cuerpo parecía indicar algo muy diferente. Le saltaban pequeñas chispas en la piel, cubriéndole el cuello y el rostro de un encendido rubor. Odiaba la respuesta que Huseyn siempre provocaba en ella.

Había esperado no tener que volver a tocarle. El contacto con la mano evocaba recuerdos turbadores del beso que habían compartido. Como si ella deseara la atención de ese hombre. Sus caricias y su pasión.

Dio un paso atrás y se soltó.

—Hasta la boda.

Huseyn asintió y, entonces, se dio la vuelta y volvió a entrar en el palacio.

Ghizlan se apoyó contra la balaustrada. ¿Qué era lo que había esperado? ¿Ver alegría en aquellas sombrías facciones? ¿Escuchar cómo él le daba las gracias por el sacrificio que había hecho?

Huseyn conseguiría lo que quería y no le importaba nada más. Cuanto antes aprendiera Ghizlan a no esperar absolutamente nada de su futuro esposo, mucho mejor. A él no le gustaba y ella lo detestaba. Ghizlan tenía la intención de verlo tan poco como le fuera posible hasta que llegara el día de su divorcio.

Capítulo 6

HUSEYN recorrió con la mirada la cámara de audiencias. Todos estaban presentes. Cada uno de los miembros del Consejo Real, cada uno de los jeques provinciales, todos los ministros y funcionarios de importancia. Todos los que tenían una opinión que pudiera ser de peso a la hora de proclamar al nuevo jeque.

Algunos parecían contentos, otros sombríos, pero todos parecían expectantes por comprobar si era cierto que la princesa Ghizlan había prometido casarse con él y, por lo tanto, darle su apoyo para convertirse en el nuevo jeque de Jeirut.

La ira no le dejaba disfrutar del momento. Ya había habido algunas escaramuzas en la frontera. Algunos hombres ya habían perdido la vida por defender la frontera de las tropas del emir de Halarq. Huseyn sabía que estaba poniendo a prueba las defensas del país y que cualquier día lanzaría el movimiento definitivo.

Estaba cansado de la interminable espera. De las negociaciones. Necesitaba pasar a la acción.

Por fin, todos los presentes se volvieron a mirar hacia la puerta. Por fin. Había estado a punto de enviar a alguien a buscarla. Ghizlan había pospuesto su aparición hasta el último momento posible. Los guardias se hicieron a un lado para dar paso a dos mujeres. La primera era delgada y juvenil e iba ataviada con colores más sutiles. La segunda...

Huseyn contuvo la respiración al ver cómo Ghizlan

entraba en la sala. No se parecía a ninguna novia que hubiera visto nunca. Tenía un aspecto seguro de sí mismo, como si fuera la estatua de una orgullosa diosa. Emanaba una energía que hasta el propio Huseyn sintió desde el otro lado de la sala.

Con la cabeza erguida y los zapatos resonando rítmicamente sobre el suelo, tenía un aspecto regio y poderoso, tan hermoso como para detener el pulso de cualquier hombre.

Llevaba el cabello recogido en un elaborado y elegante peinado que complementaba una tiara espectacular de diamantes y zafiros. Sin embargo, el brillo de las piedras preciosas no era nada comparado con el de sus ojos.

Miró a todos los presentes y, tras levantar un poco más la barbilla, siguió caminando, ya con Mira a sus espaldas, y se dirigió directamente a Huseyn.

Él jamás había apreciado tanto la imagen de una mujer como en aquellos momentos. Y, muy pronto, Ghizlan sería suya.

Aquella novia no llevaba el velo tradicional ni un vestido largo. Tampoco nada de henna en las manos ni un vestido de novia más al gusto occidental, de blanco. No lo había esperado, pero tampoco había esperado aquello.

Sintió que se le hacía un nudo en el vientre. Ghizlan llevaba un vestido de corte occidental que se ceñía perfectamente a su cuerpo, convirtiéndola en una sinfonía de hermosos senos, redondeadas caderas y estrecha cintura. A Huseyn le ardían las palmas de las manos ante los deseos que tenía de tocarla.

El vestido terminaba por debajo de las rodillas, haciendo que destacaran unas esbeltas piernas que terminaban por fin en unos zapatos con un tacón de infarto.

Sexo y belleza. Sin embargo, Ghizlan era mucho más. Poder, desdén y absoluto desafío.

Su futura esposa no había elegido ponerse rojo o dorado, que eran los colores tradicionales para demostrar felicidad. De hecho, había evitado el color por completo en aquel día. Su vestido de novia era completamente negro. El color del luto en el mundo occidental.

Además, llevaba lo que seguramente eran las joyas de la familia real, sin duda para recordarles a todos los presentes quién era ella en realidad.

Cuando se detuvo frente a él, Huseyn quiso aplaudir su desafío y su valor. El desdén que demostraba hacia él. El desdén por todos los presentes, que debían de saber que ella estaba allí contra su voluntad y que no hacían nada para ayudarla.

Miró aquellos ojos llenos de orgullo y desafío y sintió que algo se despertaba en su interior. Algo más que el simple deseo.

Apreciación. Respeto.

Se inclinó ante ella y realizó una profunda reverencia.

–Mi Señora, me hace un gran honor. Nunca he tenido el placer de ver a una mujer tan hermosa.

Extendió la mano y tomó la de Ghizlan sin que ella se resistiera. Ni siquiera la más ligera expresión traicionó su hermoso rostro. Si tenía que tener una esposa, prefería a una como ella, con fuego, en vez de las sumisas mujeres que siempre había conocido.

Levantó la mano y se la llevó a los labios, inhalando el dulce aroma a canela y miel que emanaba de su cuerpo.

Ghizlan contempló al hombre que se inclinaba ante ella con tanta galantería. Tuvo que hacer un gran esfuerzo para no mostrarse boquiabierta.

Era imposible que aquel hombre fuera Huseyn al Rasheed, el hombre que gozaba con la agresión física y la descarada exhibición de su masculinidad.

Emanaba de él una delicada sofisticación. Iba ataviado con un traje formal que le sentaba como un guante y que solo podía haber sido confeccionado por un maestro. Sin embargo, a pesar de las ropas occidentales, tan sorprendentes en un hombre como él, le resultaba imposible ocultar su poder esencial.

Ghizlan notó que le estrechaba ligeramente la mano y, cuando se la besó, las sensaciones producidas por aquellos cálidos labios fueron deliciosas. Vestido con su atuendo de jinete resultaba imponente, pero afeitado y ataviado de aquella manera....

—No hay necesidad de que demos un espectáculo —dijo ella retirando la mano y frotándose el lugar exacto donde él la había besado con la palma de la otra.

Huseyn se incorporó lentamente y se acercó a ella un poco más. Ghizlan le miró a los ojos y vio que aquel día parecían más azules que grises. Además, si no hubiera sabido que era imposible, habría dicho que parecía que le estaban dando su aprobación.

—Simplemente te estaba dedicando la formalidad que te mereces —replicó. Observó el peso del collar de diamantes que le rodeaba el cuello y luego más abajo, al terciopelo negro que parecía bastante agobiante a pesar de los altos techos de la estancia—. En cuanto a lo del espectáculo... Eso te lo dejo a ti —añadió con una sonrisa—. Estás magnífica.

Parecía un cumplido, pero Ghizlan sabía muy bien que no debía creerlo.

Ghizlan había entrado en la sala llena de resolución y firmeza, pero en aquellos momentos se sintió como si le hubieran retirado la alfombra de debajo de los pies. Tragó saliva. Nunca la sonrisa de un hombre había producido aquel efecto en ella.

Sin barba, Huseyn se parecía más a una estrella de cine y menos a un despiadado soldado. No era el tipo de físico dulzón que atraía a las jovencitas, sino un hombre más masculino, que podía seducir a una mujer con una sonrisa mientras peleaba con un villano al mismo tiempo. La leve fractura que impedía que la nariz fuera completamente recta le añadía carisma, fuerza y masculinidad. Sin poder evitarlo, Ghizlan se preguntó si tanta apostura no terminaría por pasarle factura a ella. El miedo se apoderó de ella.

Recordó el tacto de aquellos labios sobre los suyos, los fuertes brazos estrechándola contra su cuerpo y sintió que el deseo recorría todo su cuerpo.

Su mandíbula era tan firme y fuerte sin barba como le había parecido con ella. Lo que no había podido imaginarse eran los hoyuelos que le adornaban la barbilla y las mejillas cuando sonreía.

¿Hoyuelos? Imposible. Recorrió su rostro una vez más. Seguía siendo masculino y firme, pero había pasado de ser una bestia a convertirse en humano. En un hombre muy guapo.

Ghizlan se aclaró la garganta. No importaba lo elegante que estuviera ni lo atractivo que pudiera ser. Era un matón.

—No esperaba verte con traje. Creía que te iban más las tradiciones y las costumbres antiguas. Como tratar a las mujeres como si fueran propiedades con las que comerciar.

Huseyn dejó de sonreír inmediatamente. Su aspecto era mucho más sombrío.

—Tal vez quería estar a tu altura.

Ghizlan no dijo nada. Se recordó que no había manera de que él supiera cómo iba a ir vestida. Había mantenido su promesa y había dejado que Mina y ella prepararan a solas aquella ceremonia. No había habido guardias ni espías en sus apartamentos.

—Podría ser que tu intención fuera parecer algo más que un líder de una atrasada provincia. ¡Eso es! ¡Estás

tratando de parecer un líder! Alguien que puede trabajar a nivel internacional. Desgraciadamente –añadió
ella en voz baja–, hará falta mucho más que un buen
traje a medida para convertirte en un diplomático.

Para enojo de Ghizlan, Huseyn no pareció reaccionar a
sus insultos. Se limitó a acariciarse suavemente la solapa.

–¿Te gusta entonces? Se lo diré a mi sastre. Dado que
es de una atrasada provincia, se sentirá feliz por recibir
las alabanzas de alguien que conoce tan bien lo que está
a la moda.

Huseyn seguía dando por sentado que a ella solo le
interesaban las frivolidades. Evidentemente, no sabía
nada de ella. El odio que sentía por él se incrementó al
comprobar que no se había molestado en averiguar
nada sobre ella. Se había limitado a asumir que su papel era decorativo y sus intereses mundanos. Eso demostraba lo poco que sabía del esfuerzo de Ghizlan por
llevar el progreso a su pueblo, pero ya se enteraría.
Dirigir una nación era una tarea muy dura y se necesitaba mucho más que la habilidad de un militar.

El modo en el que Huseyn la miró le dijo que él había notado algo en su expresión. Miró hacia un lado,
hacia el lugar que ocupaba Mina, y decidió que no era
el momento de enzarzarse con él en una batalla verbal.
Lo único que importaba era el futuro de su hermana.

–¿Me prometes que dejarás que Mina se marche?

–Ya te di mi palabra –respondió él. Entonces, tomó
una mano de Ghizlan entre las suyas.

Atónita, ella le miró a los ojos.

–Deja de preocuparte –añadió Huseyn–. Tu hermana
estará bien.

Ghizlan abrió la boca para hablar, pero antes de que
pudiera articular palabra, Huseyn apretó un poco más
la mano e indicó a todos los que les rodeaban.

–Vamos, es hora de que terminemos ya con la boda.

Ghizlan contuvo un escalofrío. Si eso era lo que tenía que hacer para dejar libre a su hermana, lo haría. No permitiría tampoco que los cobardes que los rodeaban adivinaran su angustia. Levantó la barbilla y dio un paso al frente.

Ghizlan estaba de pie sobre el asfalto, sintiendo el fresco aire de la tarde en las mejillas. Esbozó no sin esfuerzo una sonrisa. No sabía lo que era peor, si tener que mostrarse tranquila y serena por el bien de Mina o que su esposo estuviera vigilando todo lo que ocurría entre ellas.

Huseyn no se apartó de ellas ni cuando Ghizlan se inclinó sobre Mina para besarla. Era como si no confiara en que ella no echara a correr hacia el avión en el último momento para volar con Mina a Francia y conseguir la libertad.

Podría ser también que lo hiciera en beneficio de todos los que los observaban. Tenían cámaras apuntándoles desde todos los ángulos. Ghizlan pensó que seguramente quería comportarse como el firme apoyo de su esposa en aquellos momentos.

—Estaré bien —susurró Mina—. No tienes que preocuparte por mí, de verdad. Pero ¿estarás tú bien? No me gusta tener que dejarte aquí.

—Estaré bien. Voy a ser la jequesa de Jeirut. No hay motivo para que tú te quedes. Además, tienes por fin la oportunidad de hacer lo que más te gusta y...

—¿Y tú? ¿No te lo mereces?

—He tomado mi decisión, Mina —dijo Ghizlan. No le había hablado a Mina sobre la amenaza de Huseyn de casarse con ella si Ghizlan se negaba a hacerlo—. Conmigo aquí, hay buenas perspectivas de que la transición vaya bien. Si puedo ayudar a mantener la paz... Es mi deber hacer todo lo que pueda.

Mina frunció el ceño.

—Has hecho tu deber durante todos estos años. Tú...

Al notar un ligero movimiento a su lado, Ghizlan se giró. Era Huseyn, que se había acercado un poco más a ellas con su rostro inescrutable.

—Es la hora.

Efectivamente, a sus espaldas la azafata estaba ya esperando al pie de la escalerilla del avión.

Ghizlan tragó saliva y abrazó a su hermana.

—No te olvides...

—Lo sé, lo sé... Te llamaré en cuanto me haya instalado y luego lo haré con regularidad. E iré a ver a Jean-Paul en tu nombre para ver cómo le va.

Ghizlan esbozó una sonrisa forzada.

—Perfecto. Dile que me muero de ganas por tener noticias suyas.

Con eso, Mina se apartó de ella y comenzó a dirigirse hacia el avión.

—Estará perfectamente...

Ghizlan asintió. Tenía un nudo en la garganta. Cuando Mina llegó a lo alto de la escalerilla del avión, levantó la mano para devolverle el saludo a su hermana.

—Por supuesto que sí.

—Le he pedido al embajador que compruebe cómo está de vez en cuando y un amigo mío, que es profesor en la Sorbona, va a invitarla a almorzar un día para que conozca a su familia. Tiene hijos adolescentes, así que con suerte podrán hacerse amigos.

Ghizlan se volvió para mirarlo. Tenía el ceño profundamente fruncido. Ella ya le había pedido al embajador que cuidara de Mina. ¿Huseyn también se había tomado esa molestia? ¿Acaso no estaban sus esfuerzos centrados exclusivamente en conseguir ser el jeque de Jeirut?

—¿Has hecho eso por ella?

—No te sorprendas tanto. Ella es ahora también mi

hermana. ¿O es más bien el hecho de que yo conozca a alguien tan civilizado como un profesor de idiomas?

En realidad, las dos cosas.

¿De verdad se sentía responsable del bienestar de Mina? ¿Cómo podía haber visto tantos cambios en él en un solo día? ¿Acaso algún genio se había llevado a Huseyn al Rasheed y lo había reemplazado por un doble?

–No... no me respondas a eso. Me lo puedo imaginar –comentó él muy serio.

–Has sido muy amable –dijo ella mientras Huseyn le agarraba el brazo y la conducía a la limusina.

Inmediatamente, los flashes de las cámaras de los fotógrafos comenzaron a dispararse. El revuelo entre los reporteros era pura actividad, mientras trataban de conseguir la mejor instantánea.

Eso explicaba por qué la había tocado y por qué se había mostrado tan solícito con Mina. Quería que todos los consideraran una pareja de verdad. La ficción de un matrimonio sólido le ayudaría a conseguir lo que realmente quería: el trono. Todo lo que hacía estaba calculado para conseguir ese fin.

–¿Quién es Jean-Paul?

–¿Perdona? –repuso Ghizlan. Estaba tan sumida en sus pensamientos que no había escuchado la pregunta.

–Jean-Paul. El hombre del que te mueres por tener noticias. ¿Es un amante tuyo?

Ghizlan giró la cabeza para mirarlo. Le intrigaba aquel interés por parte de Huseyn. Sin embargo, seguramente la verdadera razón era que no quería que nada pudiera perturbar la ficción de aquel matrimonio, como un posible amante.

Jean-Paul tenía la edad suficiente para ser el abuelo de Ghizlan. La relación que existía entre ambos, aunque amistosa, se basaba en los negocios. Él era la clave para el proyecto que ella tenía para revitalizar la antigua industria del perfume en Jeirut y darle un aire nuevo que podría reportar dinero y trabajo para su pueblo.

—Yo no tengo intención alguna de cuestionarte por tu vida amorosa. Por eso, no tengo intención alguna de compartir información personal contigo.

Los largos dedos de Huseyn le apretaron el brazo. Su enfado no dejaba lugar a dudas.

Ghizlan experimentó una ligera alegría ante aquella pequeña victoria. Tal vez no podría escapar de él por el momento, pero le gustaba poder recordarle que no se podía jugar con ella.

—¿Acaso temes que tardarías demasiado tiempo en contármelo? —replicó él con una sonrisa.

Ghizlan tragó saliva, pero se negó a apartar la mirada. Se negó a sentir miedo. Además, confesarle que no tenía vida amorosa y que nunca la había tenido era algo impensable.

—¿No va siendo ya hora de que regresemos? —preguntó ella mirando la limusina—. No querrás perderte el banquete de bodas y mucho menos con todas esas personas tan importantes a las que estás deseando impresionar.

Huseyn apretó los dientes y ayudó a su esposa a entrar en el coche. Le resultaba increíble la facilidad con la que ella le provocaba. En cuanto a las desagradables sensaciones que lo atenazaban cada vez que pensaba en ella y en su amante francés...

Apretó la mandíbula al identificar la extraña sensación. «Celos».

Imposible. Él jamás había tenido celos de una mujer. Sin embargo, así era. Pensar en que Ghizlan pudiera estar en brazos de otro hombre le abrasaba por dentro. Si ese tal Jean-Paul estuviera en Jeirut, Huseyn no tardaría en ir a buscarle.

Atónito por la furia que lo atenazaba y que estaba tan cerca de mostrarse abiertamente, se tomó su tiempo en rodear el vehículo. Se tranquilizó diciéndose que era normal mostrarse posesivo sobre su esposa, aunque tan solo llevaban una hora casados y no se amaran.

Ghizlan era suya. No tenía intención alguna de compartirla. Todo lo que tenía se lo había ganado con el sudor de su frente y lo valoraba mucho. Incluso a su esposa, aunque lo fuera presa de las circunstancias. Su altiva, provocadora y fascinante esposa.

Debería estar revisando la táctica que debía emplear para tratar con los hombres poderosos del país, que lo estaban esperando en el banquete de bodas, en vez de pensar en la posibilidad de que su esposa tuviera un amante.

Sacudió la cabeza. Por muy casquivana que ella pudiera ser, se había encontrado con su igual. No habría más amantes, al menos mientras le perteneciera a él.

Tras aquel pensamiento, se sintió mucho más satisfecho y se sentó junto a ella. Le tomó la mano, sabiendo que eso la turbaba. No era porque le gustara el tacto de su piel o porque notara cómo ella temblaba con el contacto y tratara de ocultar la atracción que sentía hacia él. No. Quería recordarle que le pertenecía.

—Estoy deseando tenerte a mi lado mientras celebramos nuestra boda junto a nuestros invitados...

—Pues a mí me alegra que, al menos uno de nosotros, esté deseándolo —rugió ella. Inmediatamente, se puso a mirar por la ventanilla.

El espíritu de lucha de Ghizlan no le enojaba, y mucho menos cuando tenía la mano de ella entre las suyas y notaba cómo se le había acelerado el pulso en la muñeca. No cuando sabía que, a pesar de tantas protestas y malas contestaciones, eran la excitación y los nervios lo que la tenían tan tensa.

Le encantaría ayudarla a relajarse.

Capítulo 7

SU DONCELLA había preparado un camisón para ella. Estaba extendido sobre la colcha y era de seda color rubí y delicado encaje. Tras contemplarlo durante unos instantes, lo arrancó de la cama y lo guardó en un cajón.

Evidentemente, el gesto estaba destinado a ayudarla a seducir a su esposo, algo que ella no tenía intención de hacer bajo ninguna circunstancia. Huseyn seguiría durmiendo donde lo había estado haciendo hasta entonces desde que llegó al palacio. Si se le ocurrían ideas sobre lo contrario, se encontraría la puerta firmemente cerrada.

Su matrimonio no valía nada. Era un matrimonio de papel para que él pudiera hacerse con el trono que tanto ansiaba. Ella iba a ayudarle por el bien de su hermana y para asegurar la paz de su país. Lo último que su amado Jeirut necesitaba eran tensiones civiles mientras el emir de Halarq los estaba amenazando, algo que las fuentes oficiales habían confirmado. Huseyn no le había mentido en eso.

Sacó una enorme camiseta que tenía muy poco de seductora. Pensar en ponerse aquel delicado camisón le provocaba un escalofrío y un calor interno a la vez que no quería reconocer.

–¡No!

Cerró con fuerza el cajón y se dirigió al cuarto de baño. No quería pensar en Huseyn al Rasheed de ese modo. Era una traición a sí misma. Él la había obligado a casarse con él. Ghizlan no iba a permitir que la obligara a nada más, fuera cual fuera la traidora respuesta de su cuerpo ante la masculinidad de Huseyn. ¡No era tan masoquista! Una mañana y una tarde completas en su compañía habían sido más que suficientes.

Se soltó el cabello y se quitó las joyas. Tras guardarlas en sus respectivos estuches, se quitó el vestido.

Tenía que reconocer que había sido el perfecto anfitrión durante el banquete de bodas. Sus modales en la mesa habían sido impecables. Incluso le había permitido estar unos momentos a solas con Azim. Ella tuvo que mentirle y decirle que se encontraba bien y que no se había visto obligada a casarse con Huseyn.

Terminó de lavarse la cara y se echó agua fría sobre las mejillas. No se encontraba bien. Nadie entre todos los hombres presentes había cuestionado el matrimonio ni había tratado de defenderla. Les había resultado mucho más fácil creer que ella había querido casarse con un bruto que tan solo aspiraba a conseguir poder personal.

Sin embargo, Huseyn no parecía...

No. No iba a pensar en eso. Huseyn se presentaba como la persona que los demás querían ver. La respuesta de su cuerpo ante tanta masculinidad... Bueno, terminaría por aplastarla. Lo único que tenía que hacer era concentrarse en lo odioso que era. En realidad, la respuesta de su cuerpo no tenía nada que ver con él, sino con ella misma. Ya iba siendo hora de que se encontrara un hombre. En cuanto consiguiera el divorcio y tuviera libertad para actuar por sí misma en vez de como princesa real, se encontraría un hombre que la atrajera y que la respetara. Un hombre al que pudiera querer.

Cuando terminó de asearse, comprendió que iba a tardar mucho en dormirse. A pesar del agotamiento, se sentía muy nerviosa. No le apetecía leer, pero encendería el ordenador y...

–¿Qué estás haciendo aquí? –preguntó atónita al ver

a Huseyn junto al tocador, acariciando distraídamente la pulsera que ella había llevado aquel día–. ¿Cómo has entrado? –añadió inmediatamente, al recordar que había cerrado la puerta con llave.

–Pues con la llave, por supuesto –respondió él mirándola de arriba abajo.

Ghizlan se mordió el labio. Por supuesto. Tenía llaves de todas las puertas. Era el dueño del Palacio de los Vientos. El hecho de que Mina y ella hubieran disfrutado de intimidad aquellos últimos días había sido un espejismo.

Se tensó. «No muestres miedo. Si le demuestras miedo le darás ventaja», pensó.

Sin decir palabra, se acercó hasta la cómoda donde había dejado las joyas. Le quitó la pulsera de los dedos y volvió a meterla en el estuche.

–Todavía no eres jeque –le espetó–. Y aunque lo fueras, no tienes derecho a estar en mi habitación. Ahora, me gustaría que me dieras la llave. Sea lo que sea de lo que quieres hablar, tendrá que esperar hasta mañana. Ya he representado mi papel en tu pequeña farsa. Ahora, me gustaría meterme en la cama.

–Por fin algo en lo que estamos de acuerdo –murmuró él.

Ghizlan se sintió inmediatamente como si alguien le hubiera robado el oxígeno que necesitaba. Cuando Huseyn comenzó a mirarla de arriba abajo, esperó que la enorme camiseta la cubriera adecuadamente. Desgraciadamente, los pechos se le tensaron y los pezones se le irguieron, presas de un intenso hormigueo.

Se cruzó inmediatamente de brazos.

–Fuera de mi habitación.

Nunca antes le había parecido Ghizlan más hermosa. Con diamantes y terciopelo tenía un aspecto regio y muy sofisticado. Con los pantalones y la camiseta que se puso para escalar por los muros de palacio se había mostrado vulnerable y provocativa. Sin embargo, con una camiseta que le cubría sus hermosas curvas y con el rostro al natural le pareció la mujer más voluptuosa y atractiva que había conocido nunca. Y lo más curioso de todo era que ella ni siquiera estaba tratando de seducirle.

–Esta es nuestra habitación.

–No, no, no. Ni lo pienses por un instante –replicó ella dando un paso atrás y sin dejar de menear la cabeza–. Eso no formó nunca parte del acuerdo.

–Accediste a casarte conmigo. Ahora que eres mi esposa...

–¡No te atrevas a decirme lo que tengo o no tengo que hacer! –le espetó ella. Aquellos senos lo estaban volviendo completamente loco–. ¡He hecho lo que me mandaste porque me chantajeaste para que lo hiciera! No voy a dejar que me chantajees para que me meta en la cama contigo.

–No tengo intención alguna de chantajearte.

–Bien. En ese caso, fuera de aquí ahora mismo.

Huseyn dio un paso hacia ella.

–Sin embargo, voy a pasar la noche con mi esposa.

–Ni hablar –replicó ella–. Eso no va a ocurrir, Huseyn. A menos que tengas intención de utilizar la fuerza.

Ghizlan parpadeó de un modo que le hizo creer a él durante un horrible instante que tenía miedo. El cuerpo de Ghizlan no tardó en tranquilizarle. Los pezones seguían irguiéndose fieramente hacia delante. Tampoco se le pasó por alto el aroma que ella exhalaba. Su habitual y dulce fragancia se había visto reemplazada por el aroma de la excitación.

–Los dos sabemos que no hay necesidad de utilizar la fuerza –dijo él con una sonrisa–. Me deseas, Ghizlan, igual que yo te deseo a ti. Lo noté cuando me besaste...

–¡Yo no te besé! Tú me obligaste...

–Tú me devolviste el beso con un entusiasmo que proporciona buenas perspectivas para nuestra relación sexual.

–La única manera en la que conseguirás que yo te dé sexo será violándome –le espetó ella.

–Sabes que eso no...

Solo los ágiles reflejos de Huseyn lo libraron de recibir el impacto del enorme pisapapeles de cristal que ella le arrojó al rostro. Huseyn logró esquivarlo con el hombro. Después, fue el cepillo, que él apartó con la mano. A continuación, un antiguo reloj que él logró atrapar con la mano y colocar fuera de su alcance. Luego un marco de fotos que atrapó también entre las muñecas.

–¡Ya está bien! Deja de tirar cosas. Ya sabes que no sirve de nada.

–¿Porque eres lo suficientemente fuerte para poseerme aunque yo te desprecie? –le gritó ella.

Huseyn no había conocido nunca a una mujer que lo hipnotizara de aquella manera y resultaba evidente que a Ghizlan le ocurría lo mismo.

Atrapó las dos muñecas con una mano y le colocó la otra en la mejilla. Ella tragó saliva. Aquel gesto enfatizó perfectamente la línea de su garganta. Ghizlan parpadeó suavemente cuando él le acarició la mejilla con los nudillos. Tenía una piel tan delicada como un pétalo de rosa, demasiado frágil para unas manos como las suyas...

Entonces, Ghizlan suspiró. Su cabeza se inclinó ligeramente para recibir las caricias más plenamente. Cuando se dio cuenta de lo que estaba haciendo, se apartó inmediatamente.

–No te deseo. Nunca he deseado a un bruto como tú.

–Mentirosa...

–Entras en mi habitación, te impones sobre mí y encima me acusas de mentir... ¿Qué es lo que estás haciendo?

–Soltándote. Sabes que no te haré daño –dijo él

abriendo los dedos para soltarle las muñecas. Estaba tan tenso que no tenía mucha paciencia para aquellos juegos. Sin embargo, tenía que estar seguro–. Puedes irte, pero primero quiero que mi esposa me dé un beso de buenas noches.

–Pero yo...

Ghizlan no pudo seguir hablando. Huseyn se inclinó sobre ella y empezó a besarla. Lenta, delicadamente...

Había esperado muchos días desde la última vez que la saboreó. Y menos mal. Volver a encontrarse con aquellos jugosos labios hacía que el mundo temblara bajo sus pies.

Cuando besaba a Ghizlan, no le importaba nada. Ni conseguir ser jeque, ni las negociaciones diplomáticas de aquella noche, ni siquiera la amenaza de Halarq.

Mantuvo las manos en los costados, permitiéndole así que ella pudiera romper el beso cuando quisiera. Sin embargo, sabía perfectamente que Ghizlan no lo iba a hacer. ¿Cómo podía resistir la poderosa atracción que había surgido entre ellos desde el primer momento?

Los segundos fueron pasando lentamente hasta que, por fin, con un sonido que podría haber sido un sollozo o un gruñido, Ghizlan comenzó a mover los labios y cerró los ojos. Las sensaciones explotaron entre ellos cuando la lengua de ella se enredó con la de Huseyn. Entonces, Ghizlan inclinó la cabeza hacia un lado y le permitió saborearla más profundamente.

Con un brazo, él la estrechó contra su cuerpo y la levantó hacia sí. Ghizlan se apretó contra él, desde las hermosas caderas, pasando por el vientre contra el que se pegaba la gloriosa masculinidad de Huseyn hasta los dulces senos... El beso que compartieron llevó los sentidos de ambos hasta el delirio.

* * *

Tenía que parar. Tenía que obligarle a que se apartara de su lado. Tenía que recuperar el sentido común antes de que fuera demasiado tarde como para salvar su orgullo.

Su cerebro le indicaba claramente lo que tenía que hacer, pero Ghizlan no parecía encontrar la fuerza de voluntad para llevarlo a cabo.

En aquellos momentos, la boca de Huseyn se fusionaba con la de ella en un beso lleno de seducción, lento pero exigente a la vez. Era un beso que tiraba por tierra todas las nociones preconcebidas que tenía de lo que debería ser un beso. Ni siquiera el primer beso que compartieron en el despacho de su padre la había preparado para aquella acuciante necesidad, que surgía dentro de ella mientras que Huseyn le hacía el amor con la boca.

Eso era precisamente lo que era. No la agobiaba, sino que le daba placer. No exigía, sino que la invitaba y tentaba a que abandonara la cautela de toda una vida tan dulcemente que las defensas de Ghizlan se desintegraban sin remisión.

Debía de ser el reciente trauma, la tensión de los últimos días. No le gustaba el modo en el que él la había utilizado para conseguir su ambición, pero, a pesar de todo, se sentía muy atraída por él. La sangre le ardía con una excitación que la escandalizaba.

Con Huseyn se sentía vibrante, viva y sexy.

Él fue empujándola contra la pared. Nunca se había sentido tan cerca de un hombre. Nunca se había sentido tan delicada y femenina. Le agarró la camisa y gozó al sentir el calor de su torso. Le deslizó las manos hasta los hombros y se aferró a él con fuerza. Sintió que el cuerpo le entraba en combustión cuando él le cubrió un seno con la mano.

Nada le había resultado nunca tan agradable. Los temblores del éxtasis le recorrieron el cuerpo mientras el pulgar rodeaba, acariciaba y apretaba. Un gemido se le escapó entre los labios, del que él se hizo eco, aumentando así la excitación de Ghizlan.

Aquella mano tan grande y ruda resultaba sumamente delicada. Las caricias eran perfectas, como si hubiera esperado los veintiséis años de su vida a que llegaran. A que llegara aquel hombre.

El fuego le recorría el cuerpo, desde los labios que seguían fusionados a los de él, pasando por el seno, hasta la pelvis. Se movió ligeramente y notó la potencia de la erección contra su vientre y gozó ante la promesa que aquello suponía para ambos.

No debería estar haciendo aquello. Debería apartarse de él, pero no deseaba estar en ningún otro sitio. Gozaba con el aroma que emanaba de la piel de Huseyn, con su poderosa masculinidad, con sus fuertes músculos... La combinación de curiosidad y deseo era irresistible.

Nunca antes había ignorado ella su responsabilidad o el sentido de lo que era apropiado. Las dos cosas se le habían inculcado desde la infancia. Dejar todo de lado por una potente experiencia sexual era la experiencia más embriagadora de su vida.

Ghizlan se puso de puntillas y deslizó las manos por debajo de la camisa. Huseyn aprovechó el gesto para deslizarle las manos por los muslos y luego levantarla y apoyarla contra la pared, quedando unidos tan solo por las pelvis. Apartó la boca de la de ella justo lo suficiente para que ambos pudieran tomar aire. Los torsos de ambos se irguieron a la vez, haciendo que los sensibles senos de Ghizlan vibraran de necesidad.

Había llegado el momento de pedirle que la dejara, de recuperar el control.

Sin embargo, no era control precisamente lo que ella necesitara, sino al hombre que le había hecho abrir los ojos y experimentar sensaciones que ni siquiera había sabido que existían.

El infierno vendría después. El sexo no serviría para unir el amplio abismo que los separaba. Sin embargo, volver a la seguridad del deber y de la dignidad era ya imposible. Por una vez en su vida, decidió que iba a disfrutar de lo que realmente quería y no de lo que le dictaba su deber. Al diablo con las consecuencias.

Por eso, cuando Huseyn le levantó la pierna y le colocó la pantorrilla alrededor de la cintura, Ghizlan se lo permitió. Él hizo lo mismo con la otra pierna y la animó a entrelazar los tobillos en la espalda. Su erección era firme y provocadora contra su íntima feminidad. Tenía la respiración agitada, fuera de control, y el pulso le latía erráticamente. Huseyn parecía estar sintiendo lo mismo.

—Ghizlan...

Cuando volvió a besarla, lo hizo duramente, pero ella gozó con aquella pasión y le correspondió estrechándole con fuerza contra su cuerpo con las piernas y agarrándole por los hombros. Se perdió en las sensaciones que estaba experimentando hasta tal punto que solo fue vagamente consciente cuando él se tumbó sobre la cama y ella cayó encima de él.

Las extremidades se entrelazaron, las mejillas se rozaron. Ghizlan le clavaba los dedos con fuerza en la piel. Sintió una oleada de aire fresco cuando él le quitó la camiseta. Entonces, con precipitados movimientos, Huseyn se quitó su propia ropa y volvió a concentrarse en ella y en el nuevo territorio que tenía por explorar.

Ghizlan deslizó el pie por la pantorrilla de él, fascinada por la textura de duro vello y de sólido músculo. Luego le cubrió los bíceps con las manos, deslizándolas después hasta los hombros, fuertes y anchos. A continuación, bajó una mano hasta el torso y comenzó a seguir el rastro tan tentador que llevaba hasta el vientre...

–Más tarde –susurró él atrapándole la mano.

La miró de un modo que la inmovilizó y que despertó algo dentro de ella, algo para lo que no tenía nombre, pero que parecía habitar en el centro de su ser. Propósito compartido. Comprensión. Algo tan elemental y tan real que resultaba difícil creer que fueran casi unos perfectos desconocidos.

Su esposo... un hombre al que apenas conocía...

Huseyn se movió ligeramente y se cambió de posición, de manera que la parte inferior de su cuerpo entró en contacto directo con la curva de las caderas de Ghizlan. Ella sintió el peso de Huseyn justo donde ningún hombre había estado antes. Entonces, ya no le pareció un desconocido. Las sensaciones fueron más agradables de lo que se había imaginado nunca.

–Tranquila...

La besaba cuando ella temblaba ante las poderosas sensaciones que estaba experimentando. Cuando lo hacía, ella se deshacía, presa de un delicioso abandono. Después, Huseyn volvió a deslizarse por su cuerpo y a cubrirle de nuevo los senos, lamiendo, rodeando el pezón con la lengua y finalmente introduciéndoselo en la boca y chupándolo con fuerza...

Ghizlan le clavó los dedos en la espalda, arqueándose contra él y gimiendo desesperadamente. Las sensaciones eran tan agradables... ¿Quién lo habría imaginado?

De repente, Huseyn apretó el pezón entre los dientes y le provocó una intensa sensación en el útero. Volvió a hacerlo y ella exhaló un potente gemido de placer que pareció desgarrarla por dentro. Una vez más, se arqueó contra él, agarrándole el cabello con los dedos y tirando de él como si todo el placer que le estaba dando no pudiera resultarle nunca suficiente.

Con cada movimiento que él realizaba, el placer iba y venía. Entonces, sintió los dedos de Huseyn contra su cuerpo, deslizándose lentamente hasta el lugar más sensible de todo su cuerpo, que en aquellos momentos se encontraba húmedo y caliente...

—Estás tan preparada... —murmuró antes de besarla de nuevo muy profundamente—. Te necesito, Ghizlan...

Como si tuviera voluntad propia, su cuerpo apretó los dedos y los inmovilizó. Las sensaciones fueron maravillosas, gloriosas, más allá de lo que ella había conocido hasta entonces...

—Yo no...

Huseyn volvió a besarla. Besos potentes y exigentes, que ahogaron las protestas de ella. Las palabras se esfumaron junto con las dudas. Su cuerpo se aceleró aún más. Las caricias de Huseyn eran hábiles, lentas y concienzudas. El fuego la abrasaba por dentro.

—Dime que es esto lo que deseas, Ghizlan...

—Sí... —gimió ella—, sí... pero yo...

Huseyn retiró la mano. Ghizlan no pudo evitar que un gruñido se escapara de sus labios. Lo deseaba con una urgencia que no había conocido nunca, con una urgencia que jamás había experimentado, una urgencia que la animaba a levantar las caderas...

Ghizlan lo estaba besando cuando él se movió de repente. Ella notó la erección entre las piernas y luego un rápido movimiento que la empaló inmediatamente, estirando su feminidad hasta lo imposible. Ella abrió los ojos con un gesto de incomodidad a medida que fue siendo consciente del dolor.

Huseyn la miró al ver que ella se quedaba completamente inmóvil. Ella vio el deseo y la lujuria en los ojos de su esposo y notó también la sorpresa que había experimentado al penetrarla.

Durante un instante, sintió pánico creyendo que no podría respirar.

Él estaba tan caliente, tan duro, tan inflexible... Su

enorme cuerpo la rodeaba, aplastándola contra la cama. Su rostro presentaba el ceño fruncido ante el esfuerzo que le suponía mantenerse completamente inmóvil. Sentirlo dentro de su cuerpo resultaba para ella completamente ajeno.

Ghizlan le colocó las manos sobre los hombros como si fuera a apartarlo. Él se retiró poco a poco y la fricción fue sustituyendo al dolor de un modo muy placentero. Seguramente, todo iría bien cuando hubiera tenido tiempo de acostumbrarse.

Miró los ojos de Huseyn y vio arrepentimiento en ellos. Entonces, la respiración se le entrecortó al notar que Huseyn volvía a hundirse en ella, llenándola de nuevo por completo....

–Lo siento... No puedo... –susurró de repente.

Le agarró un seno con las manos. Ghizlan volvió a excitarse. Le hundió las uñas en los hombros y levantó las caderas, buscando la fricción que intensificaría aquella frágil sensación de gozo.

Sin embargo, Huseyn se tensó contra ella. Los tendones de su cuerpo se resaltaron contra la piel y cerró los ojos mientras arqueaba el cuerpo, inmovilizándola contra el colchón mientras los temblores del orgasmo que lo atenazaban la llenaban a ella también.

Ghizlan se sintió fascinada al verlo, tan grande y poderoso, perdido en aquel momento de éxtasis. Dentro de ella, el ritmo del placer que él estaba sintiendo y Ghizlan sintió cómo la excitación volvía a despertarse en ella.

Sin embargo, ya era demasiado tarde. Huseyn se había apartado de ella.

Ghizlan lamentó el momento en el que se separaron como si fuera una fuerte pérdida. A ella le habría gustado abrazarlo y sentir cómo se iban tranquilizando los latidos de su corazón. Sin embargo, él se apartó. Entonces, se puso de pie y se dirigió al cuarto de baño. Ella lo miró, esperando que dijera algo o que se volviera para mirarla. No fue así. Cerró la puerta con una finalidad que dejó un increíble peso sobre el pecho de Ghizlan.

¿Qué había esperado? ¿Ternura?

Se quedó con la mirada perdida. Había habido ternura, al menos hasta que él consiguió llevarla justamente hasta donde quería. ¿Después? Recordó el momento de la disculpa. «Lo siento. No puedo». ¿Qué era lo que no podía? ¿Parar? ¿Darle lo que ella deseaba?

Huseyn era el que tenía experiencia. El que había presumido tanto sobre satisfacer siempre a sus amantes. A pesar de su incomodidad, Ghizlan había sentido excitación y algo como asombro cuando Huseyn alcanzó el clímax. Entonces, él se había marchado, ignorándola por completo.

Parpadeó para contener las lágrimas. ¿De verdad había esperado demasiado? ¿Tan equivocada había estado al pensar que compartían una pasión mutua?

Por supuesto que estaba equivocada. Huseyn se había casado con ella y se había acostado con ella tan solo por una razón. Para conseguir poder. No le interesaba nada más, ni siquiera una esposa que carecía de la convicción necesaria para apartarle cuando él la tomaba entre sus brazos.

Se había traicionado a sí misma. Había cedido cuando debería haber presentado batalla. Había sucumbido.

Impidió que el odio hacia sí misma se apoderara de ella. Apartó aquel sentimiento y se centró en su fuerte determinación.

Huseyn había jugado con ella por última vez.

Capítulo 8

HUSEYN abrió el grifo al máximo y dejó que el agua fría cayera sobre él. Sin embargo, cada gota que caía sobre su cuerpo le hacía sentirse más consciente de su cuerpo que antes, y no menos. Dejó que el agua le cayera por el rostro y se apoyó contra la pared con ambas manos.

Sacudió la cabeza. Aún se sentía horrorizado por lo que había hecho. Había poseído a Ghizlan con la delicadeza de un elefante.

No había podido detenerse ni siquiera cuando se dio cuenta de que ella era virgen.

Cerró los ojos con fuerza al recordar cómo había sido incapaz de contenerse. Había estado tan perdido en su glorioso cuerpo y en la pasión que lo atenazaba que había dejado que su libido controlara su cuerpo.

La mirada de sorpresa que se reflejó en sus hermosos ojos fue una flecha directa a su conciencia. En ese momento supo que tenía que retirarse, pero, por primera vez en su vida no había podido hacerlo. Tan solo había podido disculparse a duras penas, porque se había visto poseído por el clímax más intenso y potente de su vida.

A pesar de todo, había dejado de sentirse como el hombre que había sido hasta entonces. Hacerle daño a Ghizlan iba en contra de todo código de honor. Su orgullo se alzó en su contra.

Le había asegurado que él no poseía a las mujeres en

contra de su voluntad y que no les hacía daño nunca a sus amantes por su enorme tamaño. Consciente de que estaba muy bien dotado, Huseyn siempre se contenía un poco y se aseguraba el placer de su amante sin dejarse llevar por completo. Con Ghizlan, increíblemente, había hecho precisamente lo que ella le había recriminado.

Cerró el grifo y alcanzó una toalla para secarse.

Jamás hubiera esperado que, a su edad, fuera virgen. Además, había pasado muchos años en países occidentales estudiando, pero suponía que también llevando una vida de ocio y placer.

¿Cómo era posible que fuera virgen? ¿Cómo era posible que una mujer como ella hubiera llegado a esa edad sin...?

Estaba tratando de encontrar excusas. En cuanto descubrió que era virgen, debería haberse retirado para conseguir que ella conociera el sexo por primera vez de una manera más pausada, pero se había dejado llevar por el egoísmo. No había sido capaz de pisar el freno y se había dejado llevar.

Tenía que reconocer que había experimentado una extraña sensación al poseer a su esposa. Al saber que él era su primer amante, había perdido el control sin poder hacer nada al respecto.

No era de extrañar que no hubiera podido ni mirarla a la cara después. Se imaginaba el reproche que habría en aquellos hermosos ojos oscuros. Por primera vez en su vida, había salido huyendo, incapaz de mirarla a los ojos mientras la culpabilidad lo devoraba por dentro.

Huseyn se tensó. Tal vez aún sentía dolor. ¿Qué podría hacer para aliviarla?

Debería regresar y tomarla entre sus brazos, mostrarle la ternura que se merecía. Entonces, le daría orgasmo tras orgasmo para compensarla. Se lo negaría a

sí mismo si era preciso por miedo a volver a hacerle
daño. Le haría alcanzar el éxtasis con delicadeza, bo-
rrando así los recuerdos de lo ocurrido antes. No obstante, sabía que le costaría algo más borrar la sensación
de vergüenza.

Se puso los pantalones que había recogido de camino al baño y salió por la puerta. Debería haberse
quedado con ella, debería....

–¿Qué estás haciendo?

Se detuvo en seco al ver que, en vez de seguir tumbada, Ghizlan estaba de pie. Se había puesto de nuevo
la camiseta y no parecía haberse percatado de su presencia.

–Ghizlan...

Siguió sin contestar. Entonces, empezó a deshacer la
cama. Las almohadas y la colcha ya estaban sobre el
suelo.

Huseyn se acercó a ella. Notó que le miraba de reojo
y cuadraba la mandíbula.

–¿Qué es lo que estás haciendo? –insistió.

Ella comenzó a tirar de la sábana de una esquina y la
arrancó de la cama. Fue entonces cuando Huseyn vio la
mancha oscura en el centro. Sangre. La sangre de Ghizlan.

Huseyn se tambaleó como si una mano invisible le
hubiera dado un puñetazo en el pecho. Respiró profundamente para tranquilizarse. Después de todo, la mancha era pequeña e inevitable. Si no hubiera sido él, habría sido otro hombre el que le hubiera arrebatado la
virginidad. Sin embargo, aquel pensamiento no le ayu-
daba, no cuando la vergüenza y el sentimiento de culpabilidad arrastraban todo lo demás.

Lo que le hacía sentir más culpable era que, cuando
revivía aquellos instantes, no era culpabilidad lo que
sentía, sino excitación. La deseaba de nuevo. En aquel
mismo instante.

–¿Qué es lo que te parece que estoy haciendo? –le espetó ella sin dignarse a mirarlo.

Cuando terminó de retirar la sábana, se dirigió con ella hacia la ventana. Retiró la cortina y trató de abrir la ventana.

–¿Qué crees que es lo que estoy haciendo? –le dijo ella de nuevo. Aquella vez le miró por fin y lo hizo con tanto odio que Huseyn se estremeció–. Voy a colgar la sábana de la ventana para que todo Jeirut vea que nuestro matrimonio se ha consumado. El Consejo Real querrá pruebas de que me has desflorado adecuadamente y...

–¡Basta ya!

Para Huseyn, aquella mancha era la prueba de que se había comportado como un salvaje. No quería mirarla. Tragó saliva y trató de tranquilizarse. Ni siquiera se había dado cuenta de que se había movido hasta que agarró a Ghizlan por el hombro. Ella se encogió como si el contacto le quemara.

Horrorizado, Huseyn dejó caer la mano. Ghizlan tenía la respiración muy agitada y el rostro arrebolado. Los labios expresaban dolor o ira y los ojos parecían febriles. Le pareció que, a su pesar, por fin había logrado romper el autocontrol de Ghizlan.

Eso le hizo sentir como el bárbaro que ella siempre le había considerado. Y eso que se consideraba un hombre de honor.

Desde el principio, ella había mantenido un aire de invencibilidad incluso cuando todo estaba en su contra. Sin embargo, allí, en aquella habitación, Huseyn lo había roto en mil pedazos. Esperaba no haberlo destruido por completo. El orgullo y la determinación de Ghizlan eran, en parte, lo que le atraía de ella.

«Como si ella quisiera atraerte. A juzgar por esa mirada, lo que le gustaría sería hervirte en aceite».

–No hay necesidad de eso –dijo él con voz tranquila.

–¡Claro que la hay! Tú no dejas nada a la casualidad, ¿verdad? –le espetó ella–. No podías esperar a que se te nombrara jeque del modo tradicional. No. Tenías que casarte con una princesa para apoyar tus aspiraciones. Ahora, ha llegado el momento de demostrar que has realizado tu deber como hombre y que has consumado el matrimonio.

–Ghizlan... No tienes que hacer esto...

Ella sacudió la cabeza salvajemente.

–¿Y por qué no? –replicó–. Eso es lo único que soy ahora. Una herramienta para conseguir un fin. No soy una persona con esperanzas, planes y deseos. Es hora de informar a todos los que siguen disfrutando del banquete en el salón que has...

–¡Ya está bien!

Huseyn le arrancó la sábana de las manos. Ya no podía soportarlo más. Todo lo que ella decía estaba muy cerca de la verdad. Se había centrado tanto en el bien de la nación que no se había permitido pensar en lo que aquello significaba para Ghizlan.

–Ya está bien. Te estás poniendo histérica.

–¿Histérica? Típico de un bruto como tú acusar a una mujer de comportarse de un modo histérico cuando...

Huseyn no sabía cómo impedir que siguiera hablando. No le gustaba el odio y la desesperación que había en su voz. Le ponía enfermo. Por eso, cuando ella trató de arrebatarle la sábana, le cubrió la boca con la suya. Hubiera hecho lo que fuera con tal de callarla hasta conseguir que se calmara.

Sin embargo, besarla había sido el efecto inevitable de lo excitado que estaba aún su cuerpo. Trató de no dejarse llevar, de mantener la cabeza fría y de pensar bien las cosas. Sin embargo, un instante después, no pudo contenerse y se dejó llevar.

Suavizó los labios. Sabía que podía conseguir que ella respondiera. Hasta el momento en el que él perdió el control, Ghizlan le había seguido a cada paso, besándolo con fervor, rodeándole con sus largas piernas como si no quisiera dejarlo marchar nunca. Profundizó el beso hasta convertirlo en una lánguida caricia que sabía que la seduciría...

Entonces, el repentino sabor de la sal penetró en sus pensamientos.

—¡No! —exclamó ella empujándole con violencia—. ¡Apártate de mí! ¡No quiero!

Atónito, Huseyn vio una lágrima que caía por la pálida mejilla. Ofrecía un extraño contrapunto a la postura beligerante que ella tenía, con las manos en las caderas.

Vio que ella tenía los labios henchidos por los besos y una marca en el cuello, donde él debía de haberla mordido. Sin embargo, era incapaz de recordarlo.

Horrorizado, dio un paso atrás. Había estado a punto de perder el control de nuevo...

Desde niño, siempre había sabido lo que tenía que hacer. Ayudar a su madre a sobrevivir en un mísero pueblo. Cuando ella murió, encontrar al padre que lo había abandonado. Más tarde, esforzarse al máximo para convertirse en un guerrero, y no uno cualquiera, sino el mejor, tanto que su padre, aunque de mala gana, tuvo que reconocérselo. Había creído que siempre se había comportado de un modo honorable. Después del pésimo ejemplo de su padre, Huseyn se enorgullecía de hacer siempre lo correcto. Hasta aquel momento.

La vergüenza se apoderó de él. Con Ghizlan, su comportamiento había distado mucho de ser honorable.

Sin embargo, incluso en aquellos momentos, cuando ella tenía los ojos llenos de lágrimas y el rostro compungido, la deseaba. El deseo o más bien la necesidad de poseerla zumbaba dentro de su ser como el viento en un desolado cañón de montaña. Un lugar tan desolado como su propia alma.

No podía permanecer allí. Se dio la vuelta y se dirigió hacia la puerta para no tener que volver a enfrentarse de nuevo a su esposa.

Ghizlan miró, parpadeando, el inescrutable rostro de su esposo.

Él sentía algo. Lo sabía por el modo en el que su poderoso torso subía y bajaba con cada respiración y por el modo en el que unas ligeras líneas enmarcaban su rostro. Sin embargo, sus ojos no revelaban nada.

Tal vez el problema era ella. Se sentía tan perdida en la miríada de sensaciones que él había despertado con aquel beso que no era capaz de reaccionar como era debido.

Huseyn solo tenía que besarla y ella perdía el control.

A pesar del dolor que le palpitaba entre las piernas, la respuesta que le demandaba su cuerpo era dejarse llevar y permitirle que le hiciera todo lo que deseara. Cuando la tomó entre sus brazos, le habría encantado permitirle que volviera a seducirla.

Sin embargo, su orgullo, el poco que le quedaba, le había impedido responder.

Por eso, no había podido contener las lágrimas. Porque, a pesar de todo lo que él le había hecho, a pesar de que era su enemigo y que estaba utilizando su cuerpo y su persona como herramienta política, lo deseaba de un modo que hacía que todo lo que había creído sobre sí misma pareciera una burla.

¿Cómo había podido caer tan bajo?

Había sabido que era peligroso, aunque nunca hubiera comprendido la verdadera naturaleza del animal letal que habitaba en él. Sin embargo, el recuerdo de aquel breve momento de placer le hacía perder el control. Tuvo que cerrar los ojos para no mirarlo y revivirlo de nuevo.

Oyó que la puerta se cerraba y abrió los ojos. Quería preguntarle adónde iba y si regresaría. Quería, como una estúpida, salir corriendo detrás de él.

Sin embargo, permaneció rígida e inmóvil.

–¿Qué vas a hacer con la sábana? –le preguntó.

Huseyn se detuvo, pero no se volvió.

–Quemarla.

Entonces, se marchó. Ghizlan se alegró de que así fuera. No quería volver a verlo. Huseyn la había convertido en una mujer que despreciaba. Débil y necesitada. Había estado a punto de prometerle lo que él quisiera a cambio de placer físico.

Se dirigió al cuarto de baño, con los ojos llenos de unas lágrimas que ni siquiera había derramado por su padre. Allí, puso el tapón en la bañera y abrió los dos grifos. Cerró la puerta, aunque estaba segura de que él no volvería a interrumpirla. Tenía tiempo para... ¿Para qué? ¿Para recuperarse? ¿Para planear su oposición? ¿Para desear que él volviera a hacerle el amor?

Desesperada, se dio la vuelta y se miró en el espejo. No supo si alegrarse o preocuparse por lo que vio. Apenas si se reconocía.

Capítulo 9

HOY tienes un aspecto muy regio.

Huseyn no dijo lo que pensaba exactamente, que estaba bellísima, tanto que los latidos del corazón se le habían acelerado al verla recorrer la enorme sala de audiencias. De hecho, hasta se le había cortado la respiración durante un instante.

—Es un comentario muy apropiado, dado que estoy casada con el hombre que está a punto de ser proclamado jeque de Jeirut.

Su voz era fría, un absoluto contraste con la fiera que había arrancado la sábana de la cama la noche anterior y con la amante que se había deshecho contra su cuerpo mientras la besaba y que lo había vuelto loco con sus gemidos de placer.

Completamente diferente a la mujer cuyos ojos llenos de lágrimas lo habían empujado a salir de la habitación para no regresar más.

Huseyn la miró de la cabeza a los pies. Nunca había prestado mucha atención a las ropas de las mujeres, pero con Ghizlan, eso había cambiado. Una vez más, llevaba un elaborado peinado, coronado por una delicada diadema de rubíes que resaltaba bellamente sobre su oscuro cabello. En el cuello, un collar a juego con la diadema. En los pies, unas sandalias de raso. Sin embargo, lo que más le gustaba era el vestido. Largo y de escote cuadrado, resultaba sencillo y a la vez muy femenino. El color burdeos le sentaba muy bien.

Era rojo sangre. Un recordatorio deliberado de lo ocurrido la noche anterior. Una advertencia de que ella recordaba perfectamente por qué Huseyn se había casado con ella, pero se negaba a plegarse ante él.

El alivio se apoderó de él. A pesar de todo, no había perdido su carácter.

La miró rápidamente a los ojos y, entonces, lo vio. La sombra de su mirada. La ansiedad reflejada en sus labios, prueba de que, a pesar de aquella valiente puesta en escena, Ghizlan seguía sufriendo.

–Ghizlan, tenemos que hablar sobre lo de anoche....

–No hay nada que decir –repuso ella.

Vio que ella miraba hacia los invitados. Estaban lo suficientemente lejos como para no escuchar nada, pero sin embargo...

–Muy bien. Hablaremos después de la ceremonia.

–Me temo que eso no será posible. Tengo algunos compromisos más tarde –replicó ella–. Ya he tenido que cancelar algunos para asistir a esta... ceremonia –añadió con desaprobación.

Así era como iba a ser a partir de entonces.

Huseyn sabía lo que ella estaba haciendo. Estaba enmascarando sus sentimientos con una apariencia de despreocupación. El desdén resultaba más fácil para ella que tratar de tender un puente sobre el abismo que los separaba. ¿Quién podía culparla?

Desgraciadamente, la situación internacional estaba bastante complicada. Eso tenía que ser la prioridad de Huseyn. Ya tendría tiempo más tarde para tratar de enmendar el daño que había hecho la noche anterior. Mientras tanto, dejaría que ella se comportara como quisiera. Podría capear aquel temporal. Ghizlan no sabía que el desafío le atraía más de lo que le repelía.

–Deja que te felicite. Tienes la imagen de la consorte perfecta. Ese color te sienta muy bien.

–Gracias. Tú también estás... impresionante –replicó ella mirándolo de arriba abajo, desde el tocado tradicional hasta las botas de cabritilla color escarlata, sin dejar pasar por alto la daga ceremonial que llevaba en el costado–. La ceremonia de hoy será un acontecimiento nacional en el que tú serás la estrella.

Ghizlan era magnífica. Estaba allí orgullosa y serena, con la sonrisa perfecta en los labios, como si no tuviera ni una sola preocupación en el mundo. Ella era la clase de mujer que necesitaba a su lado. Una mujer que no tuviera miedo de...

Huseyn se detuvo en seco. Él era un solitario y siempre lo había sido. Aquel matrimonio era una necesidad, obligada por las circunstancias. Sin embargo, se encontraba disfrutando de la perspectiva de conocer a su esposa, y no solo sexualmente.

–¿Algún problema? –le preguntó ella. Nadie más lo leía tan fácilmente.

–En absoluto –replicó él. Extendió la mano y le agarró el codo. Sintió un ligero temblor que Ghizlan no pudo ocultar. Entonces, inclinó la cabeza hacia ella–. Aún lo sientes, ¿verdad? De verdad no crees que lo que hay entre nosotros se pueda destruir tan fácilmente, ¿verdad?

–Al contrario. Sé muy bien lo vinculante que es nuestro matrimonio hasta que tú decidas disolverlo.

–¿Estás contando ya los días? Me gusta la idea de que estés esperando a que yo haga algo.

Ghizlan giró la cabeza para mirarlo. Le dedicó otra perfecta sonrisa.

–El día que me encuentres esperando con ansiedad a que hagas algo, será el día en el que sepas que he perdido la cabeza, algo que, en estos momentos, me parece una alternativa bastante atractiva.

Huseyn no pudo contener una carcajada. Era una pena que no fuera un hombre. Ghizlan tenía más agallas que muchos de los hombres presentes en la ceremonia de aquel día.

Aunque sería un delito contra la naturaleza que ella perteneciera al sexo opuesto.

La noche anterior, le había hecho falta más determinación de la que había necesitado nunca para alejarse de ella. Por suerte, se había distraído en el banquete de bodas, junto con los hombres más importantes de la nación. Ninguno de ellos, tal y como había dicho Ghizlan, pareció preocupado de que él dejara la cama de su esposa para hablar de política y promocionarse como futuro jeque. Ninguno más que Azim, que lo miraba como un hombre sensato observaba a una serpiente venenosa.

Le agradaba saber que su esposa aún tenía un valedor entre todos aquellos hombres tan importantes. No sabía por qué le importaba, pero así era. Debido a las semanas que tendría que pasar tratando de evitar que Jeirut se viera implicado en una guerra, le gustaba pensar que Ghizlan no estaría sola.

—Vamos, es la hora.

Entrelazó la mano de Ghizlan con la suya. El contraste entre ambas era impactante. La de ella delicada y refinada, la de él dura y llena de cicatrices. La suya era una unión poco probable entre una refinada princesa y un soldado que sabía más de penalidades y de hambre que de banquetes y ceremonias.

Sin embargo, mantuvieron las manos entrelazadas mientras los dos se dirigían hacia el estrado donde estaba el trono. La mantuvo a su lado a lo largo de la breve, pero importante ceremonia, no solo porque era la costumbre, sino porque ella se lo merecía.

Esa risa. ¿Quién hubiera creído que pudiera suponer una diferencia? Sin embargo, así era. ¿Quién habría

pensado que Huseyn sabía reír a carcajadas? Se espe-
cializaba en los rostros serios, en las miradas agresi-
vas... y en la pasión.

Esa parte la recordaba demasiado bien. Fuera lo que
fuera, Huseyn tenía la habilidad de conseguir que ella
lo deseara como no había deseado nunca a ningún otro
hombre. Se sentía atraída hacia él por fuerzas que
nunca había conseguido entender hasta que él la tomó
entre sus brazos. Todo había cambiado desde entonces,
menos una sola cosa.

Huseyn seguía siendo su enemigo.

Trató de concentrarse en la agenda que tenía para
aquel día. Llevaba dieciocho días sin Huseyn. Él se
había tenido que marchar a las provincias, aunque man-
tenía contacto regularmente con sus consejeros de la
capital. Se había marchado inmediatamente después de
la ceremonia en la que lo proclamaron jeque y no se
había puesto en contacto con ella desde entonces.

Apagó la tableta y la dejó sobre el asiento trasero
del coche. Se giró para mirar por la ventanilla mientras
el vehículo atravesaba una de las partes más pobres de
la ciudad.

Por supuesto, no había esperado ningún mensaje de
él, pero Azim le contaba detalles de las llamadas que
realizaba. Sintió una mezcla de orgullo y sorpresa al
enterarse del éxito que él tenía, no a nivel militar, que
era su especialidad, sino diplomáticamente

Se había reunido con el sobrino del emir de Halarq
en solitario, sin guardaespaldas, durante varias horas.
Nadie sabía de lo que habían hablado, pero el resultado
había tenido como consecuencia que representantes de
ambas naciones comenzaran una serie de reuniones
para alcanzar un acuerdo de paz entre las dos naciones.
Los rumores eran que el emir estaba muy enfermo y
que su sobrino lo sucedería muy pronto. Aunque las

relaciones seguían sin ser amistosas, había esperanzas para el futuro.

A Ghizlan le sorprendía que Huseyn hubiera sido capaz de conseguir algo así, pero no estaba loca de alegría ante la noticia que acababa de recibir: Huseyn regresaba a palacio aquel mismo día.

El coche se detuvo y Ghizlan decidió dejar de pensar en su esposo. Él había hecho su trabajo y había salvado a la nación. Ella realizaría el suyo como siempre. Era necesario y se sentía muy orgullosa de lo que su pueblo y ella habían conseguido.

Huseyn se masajeó los hombros y estiró las piernas. Estaba muy cansado después de semanas de poco descanso y mucho estrés. La comodidad de la limusina, después de la ducha caliente más larga que se había dado en semanas casi le tentaba a cerrar los ojos. Sin embargo, aún era muy temprano. Tenía muchas cosas que hacer.

Como volver a reunirse con su esposa.

Había elegido hacerlo lo primero. Solo había pasado cuatro horas a solas con ella, pero Ghizlan había despertado fuertes sentimientos en él. Había pensado muchas veces en ella a lo largo de aquellas semanas, no solo cuando se tumbaba para dormirse y recordaba su suave cuerpo.

Miró a su alrededor con interés, mientras el coche atravesaba la parte más desfavorecida de la ciudad. ¿Qué diablos estaba haciendo ella allí? Azim le había informado que tenía una agenda muy apretada, pero Huseyn se la había imaginado almorzando con las esposas de los embajadores en un elegante restaurante o realizando alguna visita a un hospital o a una organización benéfica.

Huseyn miró atónito dónde estaban. Su esposa estaba de visita en una planta de tratamiento de aguas residuales.

Y no solo de visita. Cuando minutos más tarde se presentó sin que anunciaran su visita, descubrió que ella estaba teniendo una reunión que tenía poco sentido para él. Evidentemente, la mujer con la que se había casado era mucho más compleja de lo que se había imaginado. La había subestimado.

—Su Alteza —dijo uno de los hombres con los que Ghizlan estaba hablando al verlo llegar.

Todos los demás se percataron de su presencia. Ghizlan se levantó del puesto en el que estaba sentada, frente a un ordenador y los paneles de control. Llevaba un elegante traje de chaqueta color violeta que ceñía su cuerpo a la perfección. Ella lo miró casi sin expresión en el rostro, pero a Huseyn no se le pasó por alto el gesto de contrariedad que se reflejó en su rostro antes de que esbozara su cortés sonrisa.

Huseyn sintió una chispa en el vientre, que confirmaba lo que ya sabía. Había estado impaciente por volver a verla.

—Mi Señora —le dijo formalmente, al encontrarse en público. Le tomó la mano y se la llevó a los labios.

Sintió que le temblaba la mano y le agradó notar que ella sentía la misma anticipación.

—Mi Señor —replicó ella—. Permítame que le presente a todos. En primer lugar, el gerente de las instalaciones...

¿Qué estaba haciendo Huseyn allí? ¿Por qué diablos no estaba metido de lleno en sus tratados diplomáticos o acosando a alguna pobre sirvienta?

—Tengo una pregunta —dijo con voz profunda, provocando que a Ghizlan se le pusiera el vello de la nuca de punta.

—¿Sí? —replicó ella con voz tranquila, a pesar del nerviosismo que la atenazaba.

–¿Qué es un digestor anaeróbico?

–Bueno –contestó el gerente–. Estamos muy orgullo-sos de eso. En principio, fue sugerencia de la jequesa...

–¿De verdad? Explíqueme.

–Bueno, dada nuestra intención de maximizar la eficiencia energética y el especial interés de la jequesa en este campo...

–¿Especial interés? –preguntó Huseyn mientras se giraba para mirarla.

–Es mi licenciatura –explicó ella–. Fui una de las primeras mujeres de este país en estudiar una ingeniería.

–Y sigue siendo la única ingeniera química del país –añadió orgulloso el gerente.

Vaya... murmuró él asombrado–. No sabía que los ingenieros químicos se especializaran en las aguas residuales.

–Te sorprendería. Trabajamos en toda clase de procesos. Cualquier cosa, desde la producción de energía, el procesamiento de minerales, la gestión de las aguas y los medicamentos, la biotecnología o la fabricación de explosivos.

–Una combinación bastante letal.

–Efectivamente.

–¿Y lo del digestor?

–Está funcionando tan bien como habíamos esperado –dijo el gerente–. Disuelve la basura orgánica para emitir un gas que luego podemos utilizar para producir electricidad. Esta nueva planta está generando suficiente energía para cubrir sus propias necesidades y para contribuir a las de la ciudad.

Huseyn empezó a hacer preguntas. Parecía muy interesado. Se lo explicaron todo con mucho detalle.

Con la presencia de Huseyn allí, ella había pasado a un segundo plano. Ghizlan se tragó su amargura. No le importaba. Sin embargo, llevaba horas con un fuerte dolor de cabeza y le iría muy bien sentarse un poco. Le había bajado el periodo aquella mañana y no se sentía muy bien, aunque al menos significaba que no estaba embarazada. No quería traer a un niño al mundo para que formara parte de aquel desastroso matrimonio. Por eso, había decidido empezar a tomar la píldora. Estaba totalmente decidida a no volver a entregarse a Huseyn y él había mostrado una total falta de interés hacia ella desde la noche de bodas, pero no pensaba correr riesgos.

De repente, la voz de Huseyn interrumpió sus pensamientos.

–Ha sido una visita fascinante. Es un gran mérito por parte de todos ustedes. Gracias.

Entonces, tras despedirse de todos, se dirigieron hacia el exterior. El chófer de Ghizlan le abrió la puerta de su vehículo y ella se acomodó en el interior.

–¿Dónde está tu coche? –le preguntó.

–He dicho que se podía marchar. No hay razón para tener dos coches cuando podemos regresar juntos.

El chófer se colocó frente al volante.

–¿A la nueva fábrica, Mi Señora?

Ghizlan se mordió el labio inferior. Aún tenía tiempo para realizar la visita que había planeado, pero con Huseyn a su lado...

–Así es –dijo él.

–No creo que tú tengas tiempo para esto –murmuró ella–. Es tu primer día de vuelta en la capital. Debes de tener muchos otros...

–Nada más importante que ver a mi querida esposa... A menos que encuentres que mi presencia te distrae demasiado...

Ghizlan no se dignó en contestar, aunque aquellas palabras estaban bastante cerca de la verdad. Durante toda la visita a la planta de tratamiento de aguas, ella se había sentido como un manojo de nervios.

¿Por qué tuvo que ir a buscarla? ¿Qué era lo que quería?

Cerró los ojos y reclinó la cabeza sobre el respaldo. Una parada más y luego a la paz de su dormitorio, donde podría darse una ducha caliente y tomarse algo para el dolor. Tan solo tenía que aguantarlo un poco más...

Hemos llegado.

Ghizlan se sobresaltó al escuchar aquellas palabras. El trayecto solo podía haberles llevado un máximo de quince minutos. ¿De verdad se había quedado dormida en ese tiempo con Huseyn a su lado?

—¿Y dónde estamos realmente? —preguntó Huseyn mientras descendían del coche y contemplaban el edificio que se levantaba frente a ellos.

—Es un proyecto mío.

—¿Tuyo? ¿No de la ciudad?

—Bueno, se trata de algo conjunto —contestó ella. Estaba financiando el proyecto con su herencia. El ayuntamiento de la ciudad tan solo había proporcionado el edificio—. Se enlazará con los proyectos que ya están en funcionamiento, como el de apoyar a las mujeres emprendedoras y proporcionar empleo a las mujeres de la zona.

—¿Es una empresa solo para mujeres?

—Sí. Si lees las estadísticas, sabrás que gran parte de los pobres de Jeirut son mujeres, al igual que son las que no tienen estudios ni empleo. Este proyecto es para tratar de dar la vuelta a esa situación.

Ghizlan entró en el edificio sin esperar a ver si él la seguía. Sin duda, después de sus recientes esfuerzos, aquel proyecto le parecería insignificante, pero tenía mucha importancia, no solo para ella, sino para las personas cuyas vidas lograba cambiar.

Huseyn la alcanzó en el vestíbulo, donde los dos se encontraron con la jefa del proyecto.

Rápidamente, Ghizlan se la presentó a Huseyn. Afifa, que así se llamaba la mujer, le saludó inmediatamente. Ghizlan esperó que su esposo tomara la iniciativa, como había ocurrido antes, pero, en aquella ocasión, él parecía estar esperando a que ella comenzara las explicaciones.

–Hemos venido a ver el progreso de la nueva extensión del edificio –dijo ella.

–¿Y este edificio es...? –preguntó él mientras echaba a andar detrás de su esposa.

–Se utilizaba para destilar aceite esencial de rosas, que siempre dio fama a Jeirut. El edificio cayó en desuso y, en las últimas décadas, dejó caer drásticamente su producción debido a la utilización de aromas importados.

Llegaron a una enorme sala en la que estaban almacenados toneladas de pétalos de rosa para su procesamiento. Ghizlan respiró profundamente y dejó que el aroma de las flores ayudara a aliviar su tensión.

–¿Esperas reiniciar la producción con flores cultivadas localmente? –quiso saber él con cierto escepticismo.

–Por supuesto –afirmó ella–. Este país ha cultivado rosas con éxito desde la Edad Media, si no antes. Además, hay plantas nativas ideales para la destilación de perfumes, como el iris. ¿Sabes que crece salvaje en las montañas? También esta región fue famosa en su día por la mirra y el incienso...

Ghizlan trató de controlar su propio entusiasmo. Recordó que debía mantener las distancias con él y, seguramente, a Huseyn no le interesaría en lo más mínimo aquel proyecto.

–Entonces, aquí se fabrican perfumes utilizando flores de la zona, aceites tradicionales y demás.

–Así es –dijo Afifa–. Habrá una amplia variedad de productos tradicionales, para consumo doméstico y esperamos que también para la exportación. Planeamos extender la irrigación hasta la falda de las montañas para poder cultivar más ingredientes. Además, la jequesa piensa importar plantas de otros lugares del mundo. Cedro de Marruecos, bergamota del Mediterráneo, jazmín, azahar y muchas más.

—Nuestro objetivo —añadió Ghizlan—, es establecer una industria de perfumería que pueda rivalizar con los grandes nombres. No hay razón alguna para que Jeirut no pueda alcanzar lo que otros tienen. Contamos con más experiencia en este campo, además de una gran disposición para aprender e innovar.

—Por supuesto que no la hay —dijo él por fin—. Aplaudo tu ambición —añadió. Entonces, se giró hacia Afifa—. ¿Y se ha hecho una ampliación del edificio? ¿En qué sentido?

Ghizlan se encogió de hombros. No se había dado cuenta de que había estado conteniendo la respiración hasta que se le escapó un ligero suspiro de alivio. ¿Por qué se le había ocurrido pensar que Huseyn menospreciaría aquel proyecto? Su opinión no debería importarle, igual que no lo había hecho la de su padre. Siguió a Afifa y a Huseyn para visitar la nueva sección del edificio. Había estado tan nerviosa...

Se colocó la mano sobre el vientre. Le dolía. Esa debía de ser la explicación. Se sentía cansada y vulnerable por las hormonas de aquel momento del mes. Con toda seguridad, no era porque le importara la aprobación de Huseyn.

Cuando terminaron de recorrer el edificio entero, Ghizlan casi no se podía tener en pie. Dio las gracias por que el trayecto de regreso al palacio se realizara en silencio. Se despidió de Huseyn y se dirigió hacia sus habitaciones, aunque no tardó en darse cuenta de que él iba pisándole los talones. No dijo nada. Sin duda, había decidido ocupar las habitaciones del jeque, que estaban en la misma dirección.

Cuando ella entró en sus estancias y vio que él la seguía, habría sido capaz de darle con la puerta en las narices.

—¡No eres bienvenido aquí!

—Ya lo sé —replicó él. Tuvo la audacia de apoyarse contra la puerta cerrada y cruzarse de brazos.

—Estas son mis habitaciones y no te quiero aquí. ¿Por qué no te vas donde sea que vayas a dormir a partir de ahora?

—Desde ahora en adelante, dormiremos juntos. Di por sentado que estarías más cómoda aquí que en la zona que tu padre solía utilizar.

Ghizlan prefirió no contestar y se dio la vuelta. Se detuvo en seco al ver lo que adivinaba a través de la puerta que comunicaba el salón con el dormitorio.

—¿Qué le ha pasado a mi cama?

Su cama había sido reemplazada por una de gran tamaño.

—Me gusta estirarme bien cuando duermo —explicó él con voz profunda—. Debes admitir que soy muy grande. Estaremos más cómodos así.

—No tengo intención alguna de dormir contigo —afirmó ella—. ¡Ni de tener relaciones sexuales!

—Pues es una pena... yo lo había estado deseando...

—¿Tanto te gustó? No me importa. Tú no eres el amante que yo busco.

Huseyn dio un paso al frente y se acercó a ella.

—¿Y a quién deseas tú? ¿A Idris de Zahrat, el hombre que te abandonó para casarse con otra mujer, o tal vez a tu francés, Jean-Paul?

—No seas absurdo...

—Me alegro de que te des cuenta de que es absurdo porque el único hombre con el que te vas a compartir soy yo.

—Ya he dicho que no vamos a tener sexo —afirmó ella.

—Es normal que no quieras repetir lo ocurrido la noche de bodas. Me disculpo por lo que ocurrió esa noche. Si hubiera sabido de antemano que eras virgen...

—¡Basta ya! —exclamó ella. No quería hablar al respecto—. No quiero tener relaciones sexuales contigo. ¿Te ha quedado claro?

—Claro que quieres —insistió él—, pero te disgustó tanto lo ocurrido en la noche de bodas... Tengo que admitir que no fue mi mejor momento, es cierto, pero te aseguro que normalmente es mucho mejor conmigo. Te prometo, Ghizlan, que la próxima vez será mucho mejor —añadió con una seductora sonrisa.

—Te he dicho que no habrá próxima vez, a menos que, de nuevo, tengas intención de utilizar la fuerza.

Si Huseyn sentía remordimientos, no lo demostró.

—La última vez no utilicé la fuerza. Tan solo perdí el control. Y claro que habrá una próxima vez. Sin embargo, no te preocupes. Podré esperar hasta que tú me invites.

—En ese caso, esperarás hasta que se congelen las llamas del infierno —le espetó ella. Con eso, se dio la vuelta, pero Huseyn le impidió que se marchara agarrándole la mano.

Por razones que no fue capaz de entender, Ghizlan se detuvo y miró la enorme mano que le impedía marcharse.

Evidentemente, Huseyn no parecía aceptar un «no» por respuesta. No hacía más que insistir. Sin embargo, ella tenía un as bajo la manga. Una carta que la protegería de cualquier hombre.

—Suéltame. Tengo el periodo y debo ir al cuarto de baño.

Tal y como había esperado, Huseyn la soltó inmediatamente. Ghizlan se dirigió al cuarto de baño preguntándose por qué su victoria le resultaba pírrica.

Capítulo 10

HUSEYN observó cómo se cerraba la puerta con una mezcla de frustración y de orgullo. Era una mujer fantástica... Cada vez le intrigaba más.

No era la mujer frívola que se había imaginado. Recordó sus comentarios sobre el tratamiento de aguas y el respeto que le tenían todos los que trabajaban en aquella planta. Lo mismo había ocurrido en la fábrica de perfumes. Su preocupación por los más desfavorecidos del país era real, pero, en vez de organizar bailes o galas benéficas, estaba construyendo algo muy concreto para mejorar sus vidas. Era una mujer magnífica, ideal para su papel de consorte.

Comenzó a pasear por la habitación, fascinado por todo lo que había aprendido sobre ella aquella tarde. Había descubierto que tenía pasión por su trabajo, una pasión que esperaba que ella pudiera centrar algún día en él. Quería borrar las barreras que ella había levantado y las que se habían erigido solas por su torpe comportamiento.

Sonrió. Ella no debería ser su prioridad. Aún tenía que hacerse con las riendas de la nación. Además, debía terminar de preparar el tratado de paz con Halarq, por no mencionar el de Zahrat, que se encontraba en una situación precaria desde que el jeque Idris le dio la espalda a Ghizlan.

Resultaba evidente que no había habido intimidad entre Idris y ella, pero ¿había habido afecto? ¿Seguía Ghizlan pensando en él o en el misterioso Jean-Paul?

Ghizlan le pertenecía a él. No había alternativa. Además, él no tenía intención alguna de terminar aquel matrimonio, que le había dado todo lo que necesitaba y mucho más.

Por lo tanto, decidió que lo que debía hacer era convencer a su esposa de que se comportara como tal y no como si fuera una prisionera.

Eso significaba cortejarla.

Lo más extraño de todo, era que le apetecía. El premio resultaba irresistible.

Nunca había tenido que esforzarse para seducir a una mujer. Nunca había tenido que halagar o invitar a ninguna, dado que todas se mostraban siempre dispuestas a dedicarle su atención. Sus relaciones habían sido siempre puramente sexuales, fáciles y muy satisfactorias para ambos.

Ghizlan era la única mujer que lo había rechazado. Tal vez por eso le interesaba tanto.

Podría ser también porque, desde el principio, había captado su atención. Le había atraído y le había enojado a partes iguales. Por eso, Huseyn quería poder llegar a entender a su fascinante esposa. Ella se merecía toda su atención por derecho propio, no simplemente por su matrimonio.

Miró la puerta del cuarto de baño. Una mujer con el periodo no querría una seducción física. ¿Qué entonces? No lo sabía. Ninguna de sus amantes había hablado nunca de algo tan íntimo con él.

Decidió que, si ella quería conseguir que se marchara refiriéndose a ese tema, se había equivocado. Huseyn se había enfrentado al hambre, a la guerra... Todo lo que había conseguido en la vida se lo había ganado gracias a su determinación.

Tomó el teléfono. Su campaña había comenzado.

* * *

Cuando Ghizlan salió del cuarto de baño, tras darse una ducha y mucho más aliviada después de tomarse un analgésico, encontró el dormitorio iluminado por la suave luz de las lámparas en vez de por la enorme araña que colgaba del techo. La cama estaba abierta y la doncella le había dejado una bolsa de agua caliente. ¿Se habría dado cuenta de que a Ghizlan le dolía la tripa?

La tensión terminó por abandonarla por completo. Tanta paz después de la tormenta. Por suerte, Huseyn parecía haberse asustado después de que ella le mencionara...

–¡Tú! –exclamó al ver cómo él entraba en el dormitorio procedente del salón. Estaba espléndido con unos pantalones negros muy sueltos y nada más.

Ghizlan sintió que se le secaba la garganta como si se hubiera tragado parte del Gran Desierto de Arena. Inmediatamente, se llevó las manos al cinturón del albornoz y se lo apretó con fuerza.

–Hablas como si esperaras a otro hombre, cuando los dos sabemos que nunca has tenido a nadie más en tu cama.

Aquel comentario había sido tan arrogante que ella sintió deseos de abofetearle. Sin embargo, eso hubiera significado tocarlo, lo que suponía un error que ella no estaba dispuesta a cometer, en especial cuando él estaba sin camisa, mostrándole aquel torso perfecto y tentador, cubierto de vello oscuro y de una impresionante colección de cicatrices, tal y como vio por primera vez. Le pareció incluso ver que tenía una herida de bala entre las costillas.

–¿Por qué no te metes en la cama? –le sugirió.

Ghizlan se dio cuenta de que llevaba algo en las manos. Por el delicioso aroma, comprendió que se trataba de una taza de chocolate caliente aromatizado con canela.

–Es demasiado pronto... No te quiero aquí.

Huseyn se encogió de hombros con un fluido movimiento que le impidió a ella apartar los ojos de su magnífico cuerpo. En realidad, era magnífico. Corpulento y poderoso, muy masculino. Como un dios antiguo.

–Te acostumbrarás a mí –susurró él ignorándola. Entonces, colocó la taza sobre la mesilla.

Ghizlan comprobó que el chocolate iba acompañado de una deliciosa *baklava*. Sintió que se le hacía la boca agua.

Retiró la sábana y le ofreció la bolsa de agua caliente.

–¿Por qué no te acuestas? Estás agotada. Ya podrás regañarme cuando hayas descansado. En estos momentos, necesitas calor y algo dulce.

–¿Y cómo sabes lo que necesito? –le espetó ella tras colocarse las manos en las caderas en un evidente gesto de desafío.

–He hablado con tu doncella.

–¿Que has...?

–Sí. Me dijo que agradecerías mucho una bolsa de agua caliente y una bebida azucarada. Lo de la *baklava* fue idea mía

Ghizlan miró a Huseyn, el guerrero, el hombre que había obligado al Consejo Real a nombrarlo jeque, el que había conseguido evitar la guerra con un país vecino y cuya reputación de duro le precedía. ¿Y ese mismo hombre había podido hablar de su periodo con la doncella? Increíble.

–Vamos –dijo él tocándole suavemente el brazo–. Relájate un rato. Así luego tendrás energía para volver a enfrentarte de nuevo a mí.

Ghizlan no estaba segura, pero le parecía haber notado una sonrisa en sus labios. Él la empujó suavemente hacia la cama e hizo que cayera sobre el colchón. Entonces, le colocó la bolsa de agua caliente en las manos. El calor sobre el abdomen era un puro lujo.

Muy a su pesar, exhaló un suspiro de alivio y se aferró a la bolsa.

–¿Siempre te duele tanto? –le preguntó mientras la arropaba y ella lo miraba atónita, desconcertada por la solicitud de Huseyn para meterla en la cama, como si lo hiciera todos los días.

–No. A veces el primer día...

Ghizlan decidió guardar silencio. No había querido compartir aquella información, pero el lujo de poder recostarse contra las cómodas almohadas le había hecho bajar la guardia.

A continuación, él le ofreció el chocolate caliente. Ver aquel imponente torso, junto con el aroma que se desprendía de él, cálido y profundamente masculino, la turbaba.

–¿Es que no tienes una camisa que puedas ponerte?

Huseyn se encogió de hombros, provocando un delicioso movimiento en todos sus músculos. Ghizlan nunca había pensado que el torso de un hombre pudiera distraerla de aquel modo. Sin embargo, no era solo el torso. Llevaba los pantalones tan bajos que veía perfectamente los abdominales y la suave línea de vello que los separaba.

–Pues da gracias a que me he puesto pantalones. Normalmente, duermo desnudo.

–¡No vas a dormir aquí! –exclamó ella inmediatamente. Se sentó en la cama, pero él le colocó rápidamente una mano en el hombro y la empujó hacia atrás.

–Todavía no. He ordenado que suban la cena. Después, tengo varias horas de trabajo.

–En ese caso, te sugiero que vayas a hacerlo a otra parte.

Tenía que esforzarse más, obligarle a marcharse... ¿Cómo?

–Toma, prueba esto –dijo él ofreciéndole el chocolate caliente.

Tal vez tenía razón. Tal vez debería recuperar las fuerzas antes de enfrentarse a él. Ghizlan se sentó en la cama y tomó la taza. Los dedos de Huseyn rozaron brevemente los de ella.

–Gracias –susurró, muy a su pesar.

–De nada...

Huseyn se levantó y rodeó la cama para dirigirse hacia una enorme butaca. A su lado, había una mesa con un ordenador portátil y un montón de papeles.

–¿Qué vas a hacer?

–Ya te dije que tenía trabajo que hacer –contestó él mientras se sentaba sobre la butaca y estiraba las largas piernas–. Incluso los pobres provincianos sabemos leer y escribir –añadió encendiendo el ordenador.

Ghizlan se contuvo y trató de ocultar su decepción. Estuvo a punto de espetarle que no se le había pasado por la cabeza ni un solo instante que él fuera analfabeto. Era más bien la intimidad no deseada de tener a Huseyn, con el torso desnudo y descalzo, sentado como si nada al lado de su cama.

¿No debería estar inspeccionando sus tropas o haciendo lo que hiciera para mantener su cuerpo en tan buen estado de forma?

–Ese chocolate caliente se te va a enfriar si no te lo tomas –dijo sin ni siquiera levantar la mirada.

¿Tan fácil era saber lo que ella pensaba? Aquel pensamiento la enfureció, pero decidió que, en vez de desperdiciar el tiempo peleándose con él, se tomaría la deliciosa bebida. Ya se ocuparía de él más tarde.

Sin embargo, ese más tarde no llegó nunca. Después de descansar un buen rato, Ghizlan se sintió lo suficientemente animada para cenar y ocuparse de su propio trabajo. A medida que la tarde fue pasando, el cansancio fue apoderándose de ella y se quedó dormida mientras estudiaba el plan financiero para la fábrica de perfumes.

Se despertó cuando Huseyn estaba quitándole los papeles del regazo. Aún medio dormida, miró los hermosos ojos azules, enmarcados por negras pestañas. ¿Cómo era que nunca se había dado cuenta de lo bellos que eran? Tal vez porque había estado demasiado ocupada observándolo con enojo o desaprobación.

–Duérmete ahora, Ghizlan.

Ella hizo ademán de levantar la sábana e incorporarse, pero él le colocó la mano sobre el hombro.

–No te preocupes. Te prometo que te dejaré dormir tranquila.

Ghizlan lo miró a los ojos y creyó sus palabras. Lentamente, volvió a tumbarse en la cama. Una parte de su ser le advertía que ceder era un error, pero estaba tan cansada... A pesar de todo, permaneció completamente rígida mientras escuchaba cómo él colocaba sus papeles sobre la mesilla y apagaba su luz. Contuvo durante un segundo el aliento mientras vio cómo él rodeaba la cama y regresaba a su trabajo.

Ghizlan lo observó durante unos instantes, preguntándose cómo con su nariz partida, aquella boca tan dura y con la firme mandíbula podía resultar tan atractivo. En cuanto a los anchos hombros, el torso estrechándose hasta la esbelta cintura... Cerró los ojos para que su mirada no viajara hasta allí.

Cuando volvió a abrirlos, era ya completamente de día. Había estado dormida hasta mucho más tarde de lo habitual. Se sintió un poco desorientada hasta que recordó lo ocurrido la noche anterior. Giró rápidamente la cabeza hasta el otro lado de la cama, pero vio que estaba vacía. Al tocar el espacio que había a su lado, notó que también estaba frío. Sin embargo, la almohada mostraba aún claramente el lugar donde había estado apoyada la cabeza de Huseyn y las sábanas desprendían su aroma.

Huseyn había invadido su espacio, su intimidad. Se había marchado a una ciudad que estaba al otro lado del país. Con su suerte, seguramente regresaría cuando ella estuviera dormida. Solo pensar en ver aquel glorioso cuerpo medio desnudo y tumbado a su lado le provocaba un escalofrío.

Mientras se tomaba una infusión de menta, estuvo charlando con Arden, la inglesa que se casó con el jeque Idris de Zahrat de repente, terminando así con la relación que había entre este y Ghizlan. Las dos mujeres habían capeado el escándalo que se produjo a continuación y habían entablado una buena relación, que no tardó en convertirse en amistad. Por supuesto, Ghizlan también tenía a Mina, pero su hermana era años más joven y estaba muy ocupada con sus estudios en Francia. Además, Ghizlan y Arden compartían unas vidas muy similares.

Cuando la puerta del salón se abrió, Ghizlan se dio la vuelta y vio que se trataba de Huseyn. El corazón se le sobresaltó en el pecho.

—Tengo que dejarte.

—Ha regresado, ¿verdad? —le preguntó Arden—. Algún día, tendrás que traerlo a Zahrat para que yo pueda conocerlo. He oído historias sorprendentes sobre él. El guerrero de hierro y todo esto. Sin embargo, sé que debe de tener algo más, dado que tú te has casado con él.

Ghizlan contuvo una sonrisa llena de amargura. No le había dicho a Arden la verdadera razón de su matrimonio ni tenía intención de hacerlo, al menos por teléfono.

–Me parece bien –murmuró, consciente de que Huseyn estaba a sus espaldas–. Ya te llamaré más tarde.

–¿Es tu hermana? –le preguntó Huseyn con voz profunda y aterciopelada.

–Solo una amiga –respondió ella dándose la vuelta. Comprobó que él había empezado a desnudarse.

–¿Ocurre algo? –quiso saber él con una ligera expresión de sorna en la mirada.

–Preferiría no ver cómo te desnudas.

–En ese caso, aparta la mirada –replicó él. Se quitó los pantalones y los calzoncillos y le mostró a Ghizlan su maravillosa desnudez.

Ella parpadeó. Se conminó a no mirar mientras él se dirigía al cuarto de baño, pero no pudo contenerse. Las mejillas se le ruborizaron profundamente. No era solo la gracia de sus movimientos, sino también la enormidad de su... hombría. ¿Cómo era posible que hubieran podido encajar el uno en el otro? Por eso le había dolido tanto.

Decidió que lo mejor era darse la vuelta, tomar su ordenador portátil y dirigirse al salón. Así evitaría seguir pensando en... él.

Más tarde, Huseyn insistió en que cenaran en el amplio comedor privado. Ghizlan no entendía por qué quería estar con ella. No estaba intentando seducirla. Las respuestas que daba a los escasos esfuerzos de ella por entablar conversación eran breves y tensas.

–Lo siento –dijo él de repente, sorprendiéndola–. He estado algo arisco contigo, pero tratar con algunos de tus funcionarios es frustrante.

–¿Mis funcionarios?

–Bueno, los representantes de nuestro parlamento nacional. Me he pasado todo el día tratando de conseguir que dos de ellos trabajen juntos, pero ha sido inútil.

–¿Y por qué te molestas? ¿Por qué no les ordenas simplemente que obedezcan? –replicó ella. Eso hubiera sido lo que habría esperado hacía algunas semanas, antes de ver cómo negociaba la tregua con Halarq.

–Podría, pero preferiría que negociaran entre ellos. A la larga, me ahorrará trabajo y tiempo que no me remitan a mí todas las decisiones que deban tomar.

Huseyn estaba delegando, reforzando el papel de sus funcionarios para que asumieran la responsabilidad de tomar decisiones. Ghizlan comenzó a replantearse que su deseo de ocupar el poder fuera tan solo una cuestión de ego.

–¿Quiénes son los que te están dando problemas?

–Los ministros de Educación y de Obras Públicas.

Ah –dijo ella. Eso lo explicaba todo.

–¿Ah, qué?

–No se soportan.

–Explícate.

–Mi padre solía separarlos todo lo que le era posible, pero los dos son estupendos en sus puestos, por lo que nunca se planteó cambiarlos de cartera. Hubo una disputa familiar. Uno de ellos estuvo a punto de comprometerse cuando se enamoró de la hermana de la susodicha. El contrato de matrimonio se cambió para que pudiera casarse con la hermana menor. Las relaciones entre las mujeres son muy tensas desde entonces. El problema siguió incluso cuando se casó la hermana mayor...

–¿Y los dos novios son los dos ministros? Pero si tienen bien cumplidos los cincuenta. Eso que dices debió de pasar hace mucho tiempo...

–Sí, pero ninguno le caía muy bien al otro. Mi padre decía que tienen personalidades muy diferentes. Uno es muy metódico y el otro es instintivo y asume riesgos que nadie más correría.

–Veo que tu padre solía hablar mucho contigo de estas cosas...

Ghizlan se encogió de hombros.

–Más bien con Azim, su consejero jefe, pero sí, yo me enteraba de muchas cosas.

–Confiaba en ti.

Aquellas palabras hicieron que Ghizlan se pusiera a pensar en el pasado. La determinación de su padre por utilizarla como herramienta política le había causado siempre una honda frustración, al mismo tiempo que le había dolido la incapacidad que el jeque tenía de quererla. No obstante, le había hablado sobre su trabajo como si la considerara lo suficientemente inteligente como para comprender y contribuir. Ghizlan nunca lo había pensado antes, pero, a su manera, su padre la había respetado, aunque hubiera sido completamente incapaz de tener una relación normal con ella.

–¿Ghizlan?

Ella parpadeó y miró a Huseyn a los ojos.

–Lo siento. Me he distraído...

Tal vez se trataba de algo hormonal, pero, de repente, sintió muy profundamente la pérdida de su padre. Había distado mucho de ser el padre perfecto, pero tampoco había sido un monstruo. Ya no estaba y era el único de sus progenitores al que había conocido.

–Te ruego que me perdones –añadió poniéndose de pie–. Estoy cansada.

Era demasiado temprano para irse a la cama, pero necesitaba intimidad. Tal vez Huseyn lo entendió, porque no la siguió hasta el dormitorio. Ghizlan estuvo trabajando durante dos horas, esperando que el trabajo la ayudara a librarse de la melancolía que se había apoderado de ella. La ayudó un poco, pero siguió sintiéndose muy triste. Al final, recogió todos sus papeles y tomó una novela. Con suerte, podría zambullirse en una buena historia y olvidar.

—¿Estás leyendo un libro? —le preguntó Huseyn.

Ghizlan levantó la mirada y trató de mantener los ojos en el rostro de él mientras se desnudaba. A pesar de todo, se le aceleró el pulso, lo que no podía ser buena señal.

—Sí. He terminado mi trabajo y esto me ayuda a relajarme.

Huseyn se acercó a ella. ¿Por qué tenía que tener el torso desnudo? ¿Acaso estaba tratando de conseguir que ella no olvidara lo mucho que le había gustado acariciarlo? Volvió a centrarse en el libro.

—¿Te gusta leer sobre sexo?

Ella levantó los ojos y las miradas de ambos se encontraron. Un fuego comenzó a arderle en el vientre, provocándole una tensión que no tenía nada que ver con el periodo. Se rebulló en la cama, pero se detuvo en seco al notar que él entornaba la mirada. ¿Tan fácilmente sabía leer las señales que emitía el cuerpo de Ghizlan? ¿Acaso sabía que la palabra «sexo» pronunciada en sus labios le hacía recordar el único instante que habían estado juntos? Ni siquiera el desilusionante final podía borrar los recuerdos de lo maravilloso que había sido al principio.

Ghizlan giró el libro para mirar la portada. Una mujer con tirabuzones y un largo vestido se arqueaba entre los brazos de un hombre ataviado con unos ceñidos pantalones y botas. El hombre no llevaba camisa, por lo que Ghizlan no pudo evitar comparar aquel magnífico torso con el de Huseyn. Este tenía un aspecto poderoso, muy masculino y tan deseable que los dedos le ardían por la necesidad de acariciarle.

—No se trata de sexo, sino de amor —dijo ella con voz ahogada—. Bueno, hay sexo también, pero principalmente es amor.

–¿Amor? –preguntó Huseyn como si ella hubiera pronunciado la palabra en un idioma extranjero–. ¿Es eso lo que quieres de la vida?

–No –respondió ella. Siempre había sabido que no podría disfrutar de ese lujo–. Sé que el amor no es para mí.

–¿Pero crees en él?

¿Y por qué le interesaba a él ese detalle? La tranquilidad que había encontrado Ghizlan leyendo su novela romántica se evaporó.

–Creo que existe, pero, de verdad, solo estoy leyéndolo para relajarme y poder dormir–. ¿Qué lees tú?

–Peticiones, propuestas y planes –contestó él encogiéndose de hombros mientras, por fin, se dirigía al cuarto de baño.

–Quiero decir por placer –insistió ella, aunque no comprendía por qué sentía curiosidad. ¿De verdad deseaba conocer mejor a su esposo?

–Yo nunca leo por placer.

–¿Nunca? Pero eso es...

–Aprendí a leer porque me resultaba necesario –dijo él con expresión inescrutable–. Es útil. Nada más.

Antes de que Ghizlan pudiera seguir preguntando, Huseyn entró en el cuarto de baño y cerró la puerta. De algún modo, lo que acababa de escuchar encajaba con la impresión que se había hecho de él: la de un hombre duro, que no tenía tiempo para los pequeños placeres de la vida. Sin embargo, intuía que era mucho más complejo.

Al contrario de lo que había pensado, no fue capaz de dormir bien. No paró de dar vueltas en la cama, pensando una y otra vez en su padre y en su esposo. Cuando Huseyn terminó su trabajo y apagó la luz, ella trató de tranquilizarse para poder dormir, pero no lo consiguió.

—¿Qué es lo que pasa? —le preguntó la profunda voz de Huseyn a sus espaldas.

—Nada. Es que no tengo sueño.

—Eso es lo que pasa por leer sobre sexo antes de irse a la cama.

—Yo no... No es eso. Tengo otras cosas en la cabeza... —dijo ella. No serviría de nada tratar de explicarse.

—Hay una cura para eso...

—No quiero sexo.

—No te lo estaba ofreciendo —comentó él con un cierto tono de arrogancia.

Ghizlan ardió en deseos de darle un bofetón, pero eso habría significado darse la vuelta y tocarle... Al notar un fuerte calor junto a la espalda y un poderoso brazo rodeándole la cintura, contuvo la respiración.

—¿Qué es lo que te crees que estás...? —le espetó ella cuando notó que Huseyn tiraba de ella hacia sí.

Se topó contra el cuerpo de su esposo y notó que él se curvaba en torno al suyo, rodillas contra rodillas, sólido torso contra su espalda. Un brazo se le deslizó por debajo de la cabeza y se encontró acogida por cálido y fuerte músculo. Lo peor fue la potente erección que se colocó contra su trasero. Huseyn estaba muy excitado, tanto que ella sintió una extraña sensación en el estómago que se dijo que debía de ser horror. Bajo ningún concepto podía ser excitación o deseo...

—Poniéndote cómoda para que puedas dormir.

—¿De verdad crees que yo podría dormir así?

—Otras lo han hecho. Tiene que ver con la comodidad de sentir el contacto de otro cuerpo.

Ghizlan tragó saliva. ¿Cuántas mujeres habrían disfrutado de la comodidad del cuerpo de Huseyn? Cerró los ojos. No quería saberlo.

—Suéltame —dijo ella. Empujó el brazo de Huseyn,

pero no consiguió que se moviera–. Preferiría dormir sola.

–Pero no estabas durmiendo, ¿verdad? Estabas impidiendo que yo durmiera. Tengo mucho que hacer mañana y necesito descansar.

Ghizlan se sintió culpable y se quedó completamente inmóvil hasta que notó que la respiración de él se relajaba y que el ritmo se hacía casi imperceptible. Era como estar en una hamaca que la meciera lentamente. Poco a poco, fue quedándose dormida también, con la mano sobre el fuerte antebrazo que la estrechaba con fuerza.

Ya bien entrada la madrugada, Huseyn permaneció tumbado, observando el progreso de la luna en el cielo. Estar tumbado junto a Ghizlan era una exquisita tortura. Cuando ella se movía, se frotaba inconscientemente contra su vientre, provocándole un fuego irrefrenable. Solo la promesa que le había hecho lo contenía. Ya había roto una promesa anterior, la de no hacerle daño. Por eso, estaba decidido a mantener su palabra. Sin embargo, la combinación de aquel tentador cuerpo y de la ávida inteligencia de su esposa hacía que cada vez le resultara más difícil. Eso jamás le había ocurrido con ninguna otra mujer.

Frunció el ceño y se dijo que, cuando aquel fuera por fin un matrimonio de verdad, la fascinación que sentía hacia Ghizlan se evaporaría y podría volver a concentrarse.

Capítulo 11

DIEZ días más tarde, Ghizlan observó a través de la mesa del comedor al hombre con el que se había casado y, para su sorpresa, se dio cuenta de que estaba a gusto en su compañía.

Había sido un proceso muy lento, aunque inexorable. Si no se dormía entre sus brazos, se despertaba entre ellos sin recordar cómo había llegado allí durante la noche. Esos abrazos eran una espada de doble filo. Le encantaba acurrucarse contra él porque se sentía segura, como si nada malo en el mundo pudiera tocarla, pero, al mismo tiempo, su inquietud se acrecentaba. La profunda sensación que la atenazaba en lo más profundo de su ser indicaba deseo sexual.

Sin embargo, aquella aceptación era algo más que física. Huseyn había empezado a pedirle su opinión en asuntos que le preocupaban y había empezado a preguntarle a ella por los suyos. Ghizlan se sentía cada vez más cómoda cuando charlaban sobre lo que realmente les unía: el trabajo por Jeirut.

—¿Qué te pasa? —le preguntó él.

—Nada...

No pudo decir nada más al notar la caricia de aquellos brumosos ojos azules. A pesar de que compartían la cama, Huseyn había mantenido su promesa y no le había exigido sexo. Sin duda, eso demostraba que no la deseaba. Sin embargo, cada noche la estrechaba contra su cuerpo, haciendo que Ghizlan se preguntara qué ocurriría si ella lo invitara a...

–¿Ghizlan?

Ella sacudió la cabeza.

–Al final no me dijiste lo que ocurrió entre el sobrino del emir de Halarq y tú cuando os reunisteis en la frontera. ¿Cómo le persuadiste de que se uniera a un acuerdo de paz?

Huseyn la estuvo mirando tanto tiempo que ella pensó que no iba a responder. Por fin, se encogió de hombros y se sirvió un poco de pollo a la granada.

–Es ambicioso y ansía el prestigio como su tío, pero es también muy inteligente. No tardó en darse cuenta de las consecuencias para su país si atacaban. Habían esperado conseguir más territorio mientras Jeirut estuviera sin líder, pero le dejé muy claro que yo tenía el control y que no permanecería de brazos cruzados. Al contrario que su tío, no tiene la cabeza llena de sueños. El viejo se pierde en visiones de honor y de grandeza, pero la guerra de verdad no es así.

–Hablas por experiencia –dijo Ghizlan recordando las innumerables cicatrices que cubrían su torso e incluso las que podía ver en su mano en aquellos momentos.

–Yo crecí en la frontera. Sufrí los ataques sorpresa de los «honorables» hombres del emir –comentó con sarcasmo–. Estaban especializados en atacar de noche, aterrorizando a los inocentes habitantes de la zona, saqueando, violando y...

–¿Y?

–Una noche, cuando yo tenía seis años, vinieron a nuestro pueblo. Mi madre me sacó por la ventana y me dijo que me marchara corriendo al escondrijo que teníamos en la falda de la montaña. Ya era demasiado tarde para los adultos, pero los niños aún podían escabullirse entre las sombras. La madre de mi vecino Selim hizo lo mismo y me pidió que cuidara de él porque era aún muy pequeño...

–¿Selim? ¿Te refieres a...?

–Sí. Nuestro capitán de la guardia. Crecimos juntos.

El vínculo entre ambos hombres era muy fuerte. Ghizlan sabía que Huseyn confiaba plenamente en él y que Selim le era completamente leal.

–¿Qué ocurrió?

–Regresamos al alba. Ya sabíamos que aquel ataque había sido mucho peor. Habíamos visto el humo. El pueblo había sido destruido y todo estaba vacío. Se llevaron a los supervivientes al otro lado de la frontera para trabajos forzados. Encontramos seis cuerpos, entre los que estaban los de los padres de Selim y el de mi madre. Tardamos un día entero en enterrarlos.

A Ghizlan se le encogió el corazón. ¿Cómo era posible que ella no hubiera sabido que ocurrían ese tipo de cosas en la frontera de su país? ¿Por qué no se lo había dicho su padre? ¿Para protegerla, tal vez?

–Lo siento mucho...

–De eso hace ya mucho tiempo –replicó él.

–¿Y qué ocurrió entonces?

–¿Quieres que te cuente mi vida? –preguntó frunciendo el ceño.

–¿Y por qué no? A menos que prefieras que siga creyendo las historias que me contaban.

–La gente exagera tanto... Tardamos varios días en llegar a la capital. Entonces, en el día en el que mi padre celebraba una audiencia púbica, me enfrenté a él y le pedí que nos acogiera.

–¿Y lo hizo?

Huseyn soltó una profunda carcajada, que no era de felicidad.

–No. Me dijo que me marchara. Mi padre tenía muchos hijos bastardos y no le importaba. No recordaba haber seducido a mi madre cuando ella trabajaba de criada en palacio. Había gozado con muchas mujeres y desflorar a una muchacha inocente no significaba nada para él.

Las miradas de ambos se encontraron. Ghizlan sintió que se le hacía un nudo en la garganta. ¿Era aquello lo que pensaba de su noche de bodas? ¿Era esa la razón por la que se había esforzado tanto por presentarle una nueva faceta de sí mismo, más amable? ¿Acaso se sentía culpable por haberle quitado su virginidad?

—Sus guardias nos iban a echar cuando le grité que era un hombre sin honor. Que me iría mejor cruzar la frontera y arrojarme a merced de su enemigo, el emir de Halarq. Eso dejó en silencio a todos los presentes. Yo creí que iba a pedir que me ejecutaran.

—Pero te saliste con la tuya.

—En cierto modo. Él me odiaba, pero no nos echó. Nos puso a trabajar en los establos. Poco a poco, los guardias empezaron a tomarnos simpatía y nos enseñaron a pelear. Practicábamos y practicábamos hasta que nos dijeron que serviríamos mejor de soldados que de mozos de establo.

—Y fuiste ascendiendo.

—Sí. Estaba decidido a ser el mejor. Leía y estudiaba por las noches. Fui ascendiendo hasta que mi padre se dio cuenta de que no era solo uno de sus mejores soldados, sino el único hombre que podía sustituirle cuando muriera para mantener la provincia a salvo. Le costó mucho tomar esa decisión...

—Así que es cierto que te has ganado todo lo que tienes.

—A excepción del trono de Jeirut.

—Yo nunca he dicho que no tuvieras derecho a ser jeque.

—Solo mi derecho a tomarte como esposa.

Ghizlan bajó la mirada.

—Lo que hiciste fue...

—¿Aunque lo hiciera por el bien del país?

–Sea cual sea la razón, no puedes esperar que esté contenta con un matrimonio forzado. De todos modos, ya es demasiado tarde para pedirle absolución a la víctima.

–¿Víctima? ¿Es eso lo que eres? Pensaba que eras mucho más fuerte. Pensaba que gozabas con tu papel de jequesa. No me imagino a nadie llevando a cabo sus deberes con más dedicación.

–¿Y nunca se te ocurrió pensar que yo podría querer hacer algo más con mi vida? ¿Que anhelaba que llegara el día en el que podría ser dueña de mi vida?

Por supuesto, aquello eran tonterías. Ghizlan había estado destinada a un matrimonio pactado desde niña. Tan solo en los pocos días después de la muerte de su padre había soñado con la posibilidad de tener capacidad de elección. Y Huseyn se lo había robado.

–¿Y qué habrías elegido hacer, Ghizlan?

La triste verdad era que no tenía ni idea. Eso la enfureció aún más consigo misma. ¿Tan absorbida había estado por su papel en la familia real que ni siquiera podía soñar por sí misma?

De repente, la conversación le resultó insoportable. Se levantó de la mesa.

–Tengo trabajo que hacer. Si me disculpas...

Huseyn tardó en reunirse con ella en el dormitorio. Fue a los establos. Los caballos le tranquilizaban. Eran sinceros y leales, normalmente más que las personas.

Tomó un cepillo y comenzó a asear a su semental favorito. ¿De verdad había soñado Ghizlan con otra vida, tal vez junto a Idris de Zahrat o el misterioso Jean-Paul? Ya no importaba. Ghizlan era suya y no iba a dejarla marchar.

Sin embargo, la culpabilidad le corroía por dentro. ¿Qué derecho tenía él a negarle sus sueños? Él era un

hombre rudo, tosco y poco interesante. Ghizlan era refinada y bien educada. ¿Quién podría culparla si anhelaba que Idris fuera su esposo? ¿Había sido ese su objetivo? Huseyn apretó la mandíbula. Casarse con él
debía de haber sido una pesadilla para Ghizlan.

Tal vez no se la merecía, pero Ghizlan era suya.
¿Podría ganarse su respeto? ¿Hacerla feliz? Efectivamente, se lo merecía.

Cuando regresó al dormitorio, ella estaba absorta en
sus papeles, no en la cama como siempre, sino sentada al
pequeño escritorio que había junto a la ventana. Decidió
ir a darse una ducha y, cuando salió, Ghizlan ya estaba
tumbada en la cama, leyendo otra novela romántica.

Se percató de que había algunos libros sobre su mesilla.

–¿Y esto? –le preguntó.

–Pensé que te apetecería leer algo diferente –replicó
ella–. Hay una novela de acción y otra basada en hechos
reales.

Huseyn la miró fijamente antes de responder.

–Gracias –susurró–. Ha sido... muy considerado por
tu parte.

–De nada...

Huseyn esperó unos minutos antes de volver a mirarla. Por suerte, Ghizlan había vuelto a centrarse en su
libro. Se sentó, consciente de que las rodillas estaban a
punto de doblársele. Sabía que su reacción era ridícula.
Tan solo se trataba de unos libros, pero eran el primer
regalo que había recibido en toda su vida. Tras una
mísera infancia, todo lo que poseía lo había conseguido
con su esfuerzo y su sangre.

Sintió la tentación de esperar a estar solo para abrir
los libros, pero le pareció una cobardía. Lentamente,
abrió uno de ellos.

Quince minutos más tarde, Ghizlan se dirigió a él.

–Si no te gusta, prueba a ver el otro –le dijo. Huseyn levantó la cabeza. ¿Cómo lo había sabido? Ella se lo aclaró con una sonrisa–. Llevas chasqueando la lengua y expresando tu desaprobación casi desde la primera página.

–¿Sí? Es un poco... exagerado. Si él hubiera apuñalado al hombre en el lugar que dice, este se habría muerto en segundos y el asesino hubiera estado cubierto de sangre. La víctima no habría durado tanto como para poder contarle los secretos a la persona que lo encontró.

–En realidad, no quiero saber cómo sabes todo eso –dijo Ghizlan–. ¿Por qué no pruebas con el otro? Tal vez te guste más.

Y así fue. Trataba sobre la historia de Jeirut. Se puso a leer y, fascinado, perdió toda noción del tiempo hasta que oyó que Ghizlan apagaba la luz. Se reclinó en su asiento y suspiró. La velada había sido muy agradable, primero por los sentimientos que Ghizlan evocaba en él y luego por cómo le había descolocado por completo con aquel regalo.

Miró hacia la cama y descubrió que ella lo estaba observando. Tragó saliva. Siempre le costaba resistir la tentación física que ella suponía, pero aquella noche sería prácticamente imposible. No solo era hermosa e inteligente, sino poseedora de una gracia y amabilidad inesperadas a pesar de todo lo que él había hecho.

–Gracias, Ghizlan.

De nada.

Una hora más tarde, Huseyn seguía despierto. Aquella noche, Ghizlan estaba muy inquieta. No se movía ni se apartaba de él, pero estaba nerviosa. Su tensión era palpable.

–Relájate –susurró él inhalando el dulce aroma que emanaba de ella.

–Lo siento. No te dejo dormir. Es que no puedo descansar.

Ghizlan trató de apartarse de él, pero Huseyn le rodeó la cintura con el brazo y la sujetó con fuerza.

–No te muevas... Puedo ayudarte a que te relajes –murmuró él mientras comenzaba a acariciarle las costillas a través de la camiseta de algodón.

Ella sacudió la cabeza.

–No quiero sexo. Creo que es mejor si yo...

–Esto no sería sexo...

Deslizó la mano hasta el seno, redondo y perfecto. Escuchó cómo ella contenía el aliento. Delicadamente, se lo rodeó antes de acogerlo por completo en la mano. El fuego estalló en su ya caldeada entrepierna y apretó los dientes. Había esperado tanto tiempo. Llevaba tanto tiempo deseándola...

Sería sexo, sí, pero no sexo completo. Por lo tanto, no sería una mentira. Además, lo iba a hacer por ella.

Cuando le pellizcó suavemente el pezón, ella lanzó un suave gemido y estuvo a punto de levantarse de la cama. Huseyn deslizó la pierna sobre las de ella, anclándola al colchón, aunque ella no mostró señal alguna de oposición.

–Huseyn –murmuró ella–. Esto es una mala idea. Yo no...

–Deja que haga esto por ti... –susurró contra el algodón que le cubría el pecho. Entonces, antes de que ella pudiera responder, tomó el seno entre sus labios y chupó con fuerza.

El gemido de placer fue lo que él había estado deseando. Deseó quitarle el sencillo camisón para poder darse un festín con su piel, pero no quería asustarla. En vez de ello, se concentró en adorar aquellos deliciosos senos hasta que ella comenzó a retorcerse de placer y a gemir de tal manera que le hizo preguntarse si él mismo alcanzaría el clímax tan solo con aquel sonido. Su erección era acero puro, firme hasta lo imposible.

–¡Huseyn!

Él la miró a los ojos y el deseo estalló. Ghizlan levantaba las caderas con cada caricia. Estaba cada vez más excitada. Sin poder contenerse, bajó la mano, le levantó el camisón y buscó la suave piel del interior de los muslos. En vez de tensarse, se separaron para él, permitiéndole el acceso a la húmeda feminidad. Sin dejar de mirarla, comenzó a acariciarla, primero delicadamente y luego más rápido, haciendo que ella se arqueara sobre la cama.

–Huseyn, yo...

–Está bien, cariño mío... Está bien... déjate llevar...

Y así fue, para delirio suyo, cuando le deslizó un dedo en el húmedo y estrecho conducto. Ella se echó a temblar y se tensó con fuerza, una y otra vez. Huseyn no pudo dejar de mirar su rostro, maravillado por la visión de verlo poseído por el placer que él le estaba dando.

Lentamente se retiró de ella. Ghizlan lo ponía a prueba como nadie lo había hecho nunca. Tal vez debería marcharse a los establos o a ver cómo iba la ronda nocturna...

–¿Adónde vas?

–Ahora podrás dormir, Ghizlan –dijo él mientras se levantaba. Sin embargo, una suave mano le agarró el brazo–. Tienes que dejarme marchar...

Podría haberse soltado si hubiera querido, pero no quería. Se temía lo que ocurriría si él volvía a tocarla. Le había dado su palabra de que esperaría a que ella se lo pidiera.

–No, no lo haré.

Capítulo 12

NO QUIERO que te vayas...
Las palabras escaparon precipitadamente de sus labios, como el aire de un globo pinchado. Lo hizo con alivio y Ghizlan sintió que la tensión que llevaba experimentando semanas explotaba.

Había estado luchando contra aquel sentimiento tanto tiempo... Había tratado de decirse que ya no lo deseaba, que era una traición hacerlo, pero nada funcionaba.

—Te deseo —susurró, sin soltarle el brazo.

Aquella admisión debería haberle sonado a derrota, pero le sabía más bien a victoria. La de una mujer que reconocía sus deseos sin pudor. Deseaba a Huseyn como no había deseado nunca a otro hombre.

Unos callosos dedos le acariciaron la mejilla. Cubrió la mano de él con la suya y se la apretó con fuerza al rostro. Aquella mano tan grande y dura sabía también ser delicada.

—Te deseo, Huseyn —repitió, tumbándose en la cama sin soltarle la mano.

Con la otra mano, comenzó a acariciar el rostro de él, enredándose los dedos en el vello que tanto la fascinaba. Para su delicia, notó que los latidos del corazón de Huseyn se aceleraban.

—¿Estás segura? —preguntó él con una voz completamente irreconocible. Ghizlan gozó con el descubrimiento de su poder. Le hizo sentirse vibrante y hermosa.

Antes de que pudiera pensárselo dos veces, se quitó el camisón con un rápido movimiento. El aire fresco le acarició la piel desnuda. Huseyn permaneció tanto tiempo sin hacer nada que ella terminó cubriéndose los senos con las manos. En ese momento, él le agarró las muñecas con las manos y volvió a separarle suavemente los brazos del torso, dejándola completamente desnuda ante sus ojos. Los senos se le erguían y el calor que le ardía entre las piernas cobró nuevo impulso. Se sentía tímida, pero, al mismo tiempo, triunfante.

Huseyn se tumbó por fin encima de ella. El roce del torso contra los senos de ella resultaba tan exquisito que Ghizlan no pudo permanecer impasible. Hasta el momento en el que los labios de él apresaron los suyos y todo pareció desaparecer a su alrededor. Los labios de Huseyn la acariciaban de un modo casi reverencial. Los alientos se mezclaban, creando una experiencia pro funda y sublime. Mientras Huseyn le acariciaba la boca con la lengua, ella suspiró de gozo. La necesidad se apoderó de su cuerpo y abrazó con fuerza al de él. El fino algodón de los calzoncillos que Huseyn llevaba puestos era casi imperceptible mientras ella se frotaba con fuerza contra la poderosa erección, empujada por un deseo al que ya no se podía resistir.

Con un gruñido, Huseyn rompió el beso y se deslizó por encima del cuerpo de Ghizlan para poder capturarle un seno con la boca. Era una sensación deliciosa, adictiva, pero no lo que deseaba.

—Por favor, Huseyn... Te deseo...

Como respuesta, él bajó un poco más, enganchándole las rodillas a ambos lados de su propia cabeza. Ghizlan parpadeó. Trató de convencerse de que no le escandalizaba ver la oscura cabeza de Huseyn allí, ni tampoco el sentir el calor de su aliento en su lugar más íntimo. Sin embargo, cuando él bajó la cabeza, todo pensamiento se detuvo. Ya le había dado un orgasmo, pero nada podría haberle preparado para el poder carnal de aquella caricia. Ghizlan tembló con cada roce, con cada sublime movimiento de la lengua. No podía apartar la mirada de él. De repente, lo que comenzó como un ligero temblor, fue haciéndose cada vez más fuerte hasta que la consumió de tal manera que la obligó a echar la cabeza hacia atrás y a gritar con fuerza el nombre de su esposo, aferrándose a su cabeza con dedos agarrotados por el placer.

Un segundo después, Ghizlan quedó inerte, agotada y saciada a la vez. Huseyn subió hasta colocarse a su altura sin dejar de mirarla. Entonces, se inclinó sobre ella, apoyándose en los dos brazos para no aplastarla y le dijo:

—¿Te encuentras mejor? —susurró mientras le besaba dulcemente la clavícula.

—Has sido maravilloso, pero no era lo que yo quería —replicó ella. Le colocó las manos sobre los hombros y tiró de él—. Te deseo a ti, a ti entero...

—Ay, Ghizlan...

Esa súplica la animó a tomar lo que tanto deseaba. Le desató el cordón de los pantalones y se los bajó por las caderas, de manera que él quedó cálido y firme contra su piel. ¿Cómo era posible que aquello le pareciese el paraíso cuando Huseyn ya la había llevado hasta allí en dos ocasiones?

Él se colocó justo encima de ella, pero conteniéndose. ¿Acaso temía hacerle daño de nuevo? Sin reprimirse, Ghizlan le deslizó las manos por las caderas hasta colocárselas sobre el trasero. Entonces, levantó las caderas y suspiró al sentir que él se deslizaba dentro de ella. Gozó al sentir cómo Huseyn la llenaba lentamente, tan despacio que era un delicioso tormento. Levantó un poco más las caderas y vio cómo él apretaba los ojos al hundirse en ella más profundamente.

—¿Estás bien?

—Debería ser yo quien te preguntara eso, Ghizlan.

Ella se quedó totalmente inmóvil, catalogando las sensaciones que estaba experimentando.

—Maravilloso, pero deseo más.

Apenas acababa de pronunciar las palabras, cuando Huseyn se hundió en ella, lenta pero inexorablemente, justo hasta el centro de su ser.

—¿Bien?

Ghizlan asintió y contuvo el aliento cuando él se apartó muy lentamente. Cuando ella pensó que se iba a retirar por completo, le clavó las uñas en la piel y le envolvió con una pierna para tratar de mantenerlo donde estaba. Huseyn sonrió y volvió a hundirse en ella. El gemido de gozo que ella exhaló se mezcló con su profundo y gutural sonido.

—¿Qué tengo que hacer? —susurró cuando por fin pudo articular palabra.

—Nada, porque, si no, no podré esperar a que tú llegues.

La besó profundamente mientras comenzaba a moverse dentro de ella, más rápido aquella vez, creando un aura de excitación que a ella le hubiera parecido imposible. El ritmo era regular, pero incrementándose cada vez más, hasta empujarla al clímax. La corpulencia que la rodeaba, el salado aroma masculino, la boca, los músculos que se flexionaban bajo las manos... Todo ello creaba una potente combinación que aceleraba su placer.

Ghizlan se aferró con fuerza a él y le devolvió los besos, entregándose al ritmo que él había impuesto sobre su cuerpo hasta que un fuerte envite la llevó a experimentar un placer que jamás había sentido antes. Gozo, sensaciones, placer... Eso era lo que Huseyn le proporcionaba con su fuerza y vitalidad, justo en lo más íntimo de su ser.

Ella ahogó un grito y fue como si Huseyn hubiera estado esperando una señal. Los largos y rítmicos movimientos se convirtieron en un profundo frenesí que prolongó de manera increíble el clímax. Entonces, con un fiero grito, Huseyn echó la cabeza hacia atrás y perdió el control para verterse dentro de ella.

Seguramente se debía a la bruma del éxtasis, a las endorfinas que la llenaban, pero, en ese momento, Ghizlan sintió una profunda unión con él. Levantó los brazos y lo estrechó con fuerza contra su cuerpo, sintiendo sus jadeos contra la piel. Hubiera deseado que aquel instante no terminara jamás.

Huseyn se despertó ya bien entrada la mañana, con una sensación de bienestar tan intenso que le provocó una sonrisa en los labios. Nunca antes se había sentido así. Y la causa era la mujer que tenía entre sus brazos, la hermosa, apasionada y generosa Ghizlan. A pesar del agotamiento, ella se había mostrado deseosa de él cuando la despertó con caricias dos veces más en medio de la noche. Se entregó a él instintivamente y, cada vez, había sido más difícil asegurar su satisfacción antes que la de él porque el deseo que sentía por ella se acrecentaba cada vez más. Solo el hecho de que todo lo referente al sexo fuera nuevo para ella le había hecho contenerse. La había tenido entre sus brazos durante horas, sorprendido de lo mucho que disfrutaba así hasta que, por fin, al alba, se había quedado dormido. Y nunca antes se había despertado tan tarde. El deber podía esperar. Se sentía el hombre más afortunado del mundo y no solo por el sexo. Era Ghizlan. Su obstinada, inteligente, y deslenguada esposa. Ya nada podría conseguir que renunciara a ella. Tal vez la había ganado por la fuerza y el chantaje, pero ya no podía dejarla marchar. Al principio había deseado domarla, dominarla. Sin embargo, ya solo quería ganársela, merecer su confianza y su...

Un sonido procedente del salón contiguo llamó su atención. Era la doncella de Ghizlan.

–¿Mi Señora?

Huseyn se levantó de la cama, se puso los pantalones y fue a abrir la puerta.

Su Alteza –dijo rápidamente la doncella con una reverencia–. Siento mucho molestar, pero la jequesa me pidió que le trajera cualquier paquete que llegara de Francia. Lleva tiempo esperándolo.

–Está bien. Yo se lo daré. Y puedes traer el desayuno dentro de media hora.

Huseyn cerró la puerta y leyó quién era el remitente. No se trataba de Mina. Su curiosidad aumentó.

–¿Quién era? –preguntó Ghizlan, con la voz aún ronca por el sueño.

–Un paquete para ti. De Francia.

–¿De Francia? –preguntó ella. Se sentó en la cama con la voz llena de excitación y se cubrió inmediatamente con la sábana. Un ligero rubor le teñía las mejillas.

Huseyn sonrió.

–¡Jean-Paul! –exclamó ella.

Ghizlan sacó un pequeño frasco y se lo llevó a la nariz. Aspiró y sonrió. Huseyn se sintió furioso. No quería que ningún otro hombre le hiciera sonreír así. Se sentó en la cama.

–Huele esto –dijo ella ofreciéndole la pequeña botella para que inhalara

–Rosas.

–Así es. Y mucho más. No es muy pesado, ¿verdad? Tiene una delicadeza y una frescura que lo hace destacar por encima de los demás.

–Ghizlan, ¿qué es esto y quién es Jean-Paul? –preguntó Huseyn con un tono neutro, que no dejaba mostrar los celos que realmente sentía.

–Es un perfume que Jean-Paul ha desarrollado para mí. Tiene rosas, almendras, vainilla y...

– ¿Jean-Paul es un amigo?

–Es un perfumista muy famoso. Crea perfumes.

–¿Y ha estado aquí en Jeirut para crear un perfume para tu nuevo proyecto?

–No. Él trabaja desde Francia. En realidad, no le conozco, tan solo hemos hablado por teléfono y por correo electrónico.

–Ah... –susurró Huseyn mucho más relajado. Le tomó un mechón de pelo que le caía sobre los senos. Tenía la piel tan cálida–. Hablabas con tanta pasión de él que me pregunté...

–¿Qué? ¿Si era mi amante? –replicó ella entre risas–. Ya sabes que no hubo nunca nadie antes de ti... –añadió ella sonrojándose dulcemente–. ¡Y además ese hombre tiene más de setenta años!

Huseyn le acarició suavemente la mandíbula.

–Un hombre tendría que estar ciego para no desearte...

–¡Ten cuidado! –exclamó ella, a pesar de que resultaba evidente que se sentía encantada con aquellas palabras–. ¡El perfume! No lo derrames. Tengo que llevarlo a la fábrica. Tenemos que ponerle nombre y preparar la producción.

–Ghizlan –dijo Huseyn contra la garganta de su esposa–. Llámalo Ghizlan. Es tu aroma. Rico, voluptuoso, pero también sutil.

Ella se retiró con los ojos abiertos de par en par.

–¿Me estás tratando de ganar con zalamerías, Huseyn?

–Nunca he hecho eso con una mujer en toda mi vida.

No me van los halagos –afirmó él. Le quitó el frasquito y lo colocó cuidadosamente sobre la mesilla–. Simplemente digo la verdad. Ahora, ¿por qué no te tumbas para que te pueda dar los buenos días como es debido?

–¿Me has mandado llamar?

Ghizlan atravesó el salón del trono, en el que Huseyn había estado celebrando una audiencia antes de la imponente recepción que se iba a celebrar aquella noche.

Huseyn se dio la vuelta y le quitó el aliento. Incluso meses después de disfrutar de la intimidad con él, ese era el efecto que producía en ella. Desgraciadamente, no era el momento de poder disfrutar el uno del otro. Tenían una recepción quince minutos más tarde.

–No te he mandado llamar. Simplemente le he preguntado a Azim si sabía dónde estabas –respondió mientras la miraba de la cabeza a los pies. Entonces, sonrió–. ¿Te puedo decir lo deliciosa que estás esta noche? –añadió mientras le tomaba la mano y le daba un beso en la palma para después deslizarle la lengua por la muñeca.

–¡Huseyn! –exclamó ella con una mezcla de placer y asombro. Los pezones se le irguieron contra el vestido de noche que llevaba puesto.

Nadie entrará sin permiso... –murmuró él estrechándola entre sus brazos.

–¿Porque les has advertido que no lo hicieran?

Ghizlan se había sorprendido mucho y había gozado con los lugares en los que habían hecho el amor y que incluían los establos a medianoche después de un paseo a caballo e incluso su jardín privado, donde la luz del sol del atardecer había bruñido los fuertes rasgos del rostro de Huseyn.

–Porque nadie se atreverá a interrumpir al jeque sin invitación –afirmó él mientras le rodeaba la cintura con las manos–. Me muero de ganas por llevarte a la cama...

–Yo también lo deseo, pero no podemos. Vamos a recibir a los embajadores de Zahrat y Halarq como parte de las conversaciones de paz, ¿recuerdas?

–Menos mal que te tengo a ti para recordarme mi deber... –él suspiró dando un paso atrás–. Bueno, tengo algo para ti –añadió, mientras se giraba para tomar una pequeña caja de madera, bellamente tallada.

–Es preciosa –susurró ella admirando la delicadeza del trabajo. Se trataba de una caja octogonal, cuyos lados estaban tallados con una flor diferente, cada una de las cuales se cultivaba en el país para dar materia prima a la fábrica de perfumes–. Gracias, Huseyn. La guardaré siempre. Nunca antes había visto un trabajo como este.

–La provincia de Jumeah, donde nací, fue famosa por su artesanía, pero las amenazas constantes y las escaramuzas de la frontera terminaron por destruir su economía. En los dos últimos años ha empezado a resurgir tímidamente. Me encantaría llevarte allí para que lo conocieras...

–Me gustaría mucho...

–Pero hay más. Ábrela.

Ghizlan levantó la tapa y contuvo el aliento.

–Es bellísima...

Colocada sobre un lecho de seda color escarlata, descansaba la pieza de cristal más hermosa que Ghizlan había visto nunca.

–¿Es también de Jumeah? –añadió.

–Sí. Otro arte que estuvo a punto de morir. Solo quedan algunos artesanos, pero hemos iniciado un plan para enseñar a los jóvenes. Y lo ha diseñado tu hermana.

Se trataba de una pequeña botella, cuyo cuerpo mostraba un torbellino de color, con tonalidades doradas y ámbar, con un poco de rojo. El tapón, muy estilizado, relucía con colores dorados y rojos.

—¡Huseyn! —exclamó ella. Le temblaban las manos mientras sacaba la delicada pieza de la caja y la colocaba en una mesa cercana.

—¿Qué pasa? Pensaba que te gustaba...

—¡Y me encanta! No esperaba algo así, que te tomaras el tiempo necesario para crear algo tan considerado...

—¿Porque soy un bruto y un bárbaro?

—Claro que no. Es porque nadie me había dado nunca algo tan perfecto. No sé cómo decirte...

—No tienes que hacerlo. Lo sé. Yo siento lo mismo sobre esos libros que me diste.

—No es lo mismo... Eso fue muy fácil...

—Fue el primer regalo que recibí en toda mi vida —dijo él tomándola de nuevo entre sus brazos—. Significó mucho para mí. Me hizo desear darte algo que significara lo mismo para ti. Ahora he descubierto el placer de desear y creo que soy un adicto. Si pudieras ver lo hermosa que estás ahora mismo...

—¡Huseyn! —exclamó ella, a pesar de que se le había hecho un nudo en la garganta—. ¡Mi lápiz de labios! Tenemos invitados esperando...

—Al diablo con el lápiz de labios. Y con los invitados.

Huseyn procedió a demostrarle lo mucho que ella disfrutaba de la vena autoritaria y mandona que había en él.

Capítulo 13

GHIZLAN se aproximó con paso ligero a los establos. Huseyn y ella iban a montar a caballo juntos después de trabajar a lo largo del día en sus respectivos asuntos. Ella llegó antes de lo previsto. Pensaba llevarlo a un valle muy escondido que había fuera de la ciudad, un lugar que no había visitado desde hacía años. Un tiempo atrás, se habría mostrado reacia a compartir un lugar tan especial con él, pero sus sentimientos habían cambiado. Se sentía feliz de un modo que no había conocido antes. Y todo era gracias a Huseyn.

El único nubarrón era su negativa a aceptar la invitación del jeque Idris para visitar Zahrat. Huseyn se negaba a abandonar el país hasta que hubieran concluido las conversaciones de paz con Halarq, pero Ghizlan se moría de ganas de ver a su amiga Arden.

Al llegar a los establos, vio que Selim estaba allí. Él la saludó y se hizo a un lado para que Ghizlan pudiera ver.

La escena le quitó el aliento. Huseyn, vestido con ropa de montar, estaba en el corral con un semental negro que saltaba y se levantaba sobre sus patas traseras muy cerca de él. El animal presentaba un aspecto salvaje y peligroso con su rápidos y descontrolados movimientos. Huseyn, por el contrario, parecía tranquilo y paciente.

Después de lo que a ella le pareció una eternidad, Huseyn pudo por fin ponerle la brida y, con un rápido movimiento, se subió encima sin dejar de susurrarle palabras que ella no podía escuchar.

–Es como magia... No sé cómo lo hace...

–Tiene razón, Mi Señora –dijo Selim–. Tiene un don, pero no es magia. Es lo suficientemente paciente para ver lo que otros no son capaces. Y adora a los caballos. Huseyn no se arredra ante los desafíos. Cuando decide ganarse la confianza de un caballo, no cede hasta conseguirlo y hasta que el animal lo acepta. Aunque parezca que el caballo lleva la iniciativa, él es el maestro, el amo. Sin embargo, el caballo lo acepta de buen grado.

Efectivamente, así era. Huseyn no dejaba de susurrar constantemente al oído del caballo. De igual modo, él había conseguido que ella lo aceptara en su cuerpo, se abriera a él y se ofreciera para darle placer.

Sintió un nudo en el estómago, tan horrible y pesado como las enormes piedras que servían de cimientos al palacio. Se sintió traicionada.

Así era como Huseyn había conseguido que se acostumbrara a su presencia, insistiendo, tentándola con su imponente físico. ¿La había visto como un desafío? Por supuesto que sí. Había presumido de todas las mujeres con las que se había acostado. Solo ella se había resistido. Aquello debía de haberle dolido en su orgullo.

¿Era esa la razón por la que se había tomado su tiempo para domarla y persuadirla de que quería solo lo que él deseaba? La única vez que ella había pedido algo, que había sido la visita a Zahrat, Huseyn había descartado la idea rápidamente.

«Quiere todo a su manera. Lo que yo quiera no importa a menos que encaje en sus planes. Edulcora sus órdenes de tal manera que todos acabamos comiendo de su mano como uno de estos malditos caballos».

Ghizlan se echó a temblar, dividida entre el horror ante aquella revelación y la parte herida de su ser, que se negaba a creerlo.

Los recuerdos se sucedieron en su pensamiento rápidamente, recordándole lo paciente que él había sido para buscar sus debilidades y sus secretos deseos. Después, él procedió a darle lo que Ghizlan ni siquiera se había imaginado que deseaba. Ternura. Cariño. Aceptación.

Debía reconocer que él le había dado más que nadie en toda su vida, incluso su padre. ¿Habría sido todo un espejismo?

—Mi Señora, ¿se encuentra bien?

—Sí, estoy bien —respondió ella, irguiéndose tras tomarse un instante para recuperar la compostura—. Desgraciadamente, acabo de recordar algo que tengo que hacer —añadió con una sonrisa forzada.

Con eso, se dio la vuelta y se marchó. A pesar de que llevaba la cabeza bien alta, el corazón le sangraba por dentro. Solo se dejó llevar cuando nadie podía verla ya. Sentía como si todo su cuerpo estuviera magullado, aunque el dolor físico no era nada comparable con el dolor que sentía en el corazón.

Ella tan solo había sido el as que Huseyn se había guardado en la manga para conseguir sus objetivos. Ghizlan era de sangre real, educada para comportarse en sociedad, encantadora y dotada, útil en negociaciones y en el complicado marco de la política regional. Se había visto obligado a casarse con ella para conseguir ser jeque y no lo había dudado un instante.

Trató de convencerse de que estaba equivocada, pero todo encajaba a la perfección. Huseyn la había seducido fría y deliberadamente, física y emocionalmente. La tenía exactamente donde quería. Ella tenía que liberarse de él.

Desgraciadamente, comprendió que no quería hacerlo. Le gustaba demasiado su jaula de oro como para querer escapar. Ya ni siquiera podía marcharse para hacer realidad su sueño porque aquel era su sueño. Lo estaba viviendo. Aquellos meses habían sido los más felices de su vida. Aquel pensamiento le heló la sangre. En un instante, comprendió por qué. No solo le había entregado su cuerpo y había aprendido a confiar en él. También le había dado su corazón.

Sintió un profundo dolor que la desgarró por dentro, pero siguió andando. Tenía que llegar al santuario que suponían para ella sus habitaciones.

Sus habitaciones ya no solo eran de ella. Les pertenecían a los dos. Ghizlan ya no podía gozar de la intimidad de un lugar en el que esconderse y lamerse las heridas. Le fallaban los pasos, pero siguió adelante. Poco a poco. Tendría primero que encontrarse un nuevo santuario y un nuevo sueño, un sueño que no exigiera pagar el precio del respeto por sí misma.

Huseyn subió los escalones de tres en tres. La impaciencia lo corroía. Y la preocupación. Después de terminar de trabajar con el nuevo semental, Selim le había mencionado que Ghizlan había estado en los establos y que, de repente, a ella le había cambiado el color de la cara y se había marchado precipitadamente.

Ghizlan nunca se sentía enferma y, aunque lo estuviera, jamás faltaba a una cita. Además, aquella mañana habían gozado de sus cuerpos, con ella sentada a horcajadas encima de él, cabalgándole con fuerza hasta que los dos cayeron presos del éxtasis.

Se le ocurrió pensar que hubiera sufrido náuseas matutinas. Esa posibilidad lo llenó de gozo y triunfo al mismo tiempo. No se podía descartar un embarazo, dado que los dos eran insaciables por el cuerpo del otro. Al principio le había preocupado que su formidable empuje sexual fuera demasiado para Ghizlan, pero ella se había mostrado tan deseosa como él.

Abrió la puerta del salón y se dirigió al dormitorio. Al

abrir la puerta, se encontró una maleta sobre la cama. Entonces, oyó la voz de Ghizlan, que estaba hablando con su doncella en el vestidor.

—¿Ghizlan?

Al cabo de pocos segundos, ella salió del vestidor con un montón de ropa en los brazos. Estaba muy pálida y parecía estar muy tensa. Dejó la ropa sobre la cama y se volvió para mirarle directamente a los ojos. Cuando salió la doncella, que iba también cargada de ropa, Huseyn le ordenó que se marchara.

—Aún no hemos terminado —replicó Ghizlan.

—¿De verdad quieres tener esta conversación delante de tu doncella?

Ghizlan dudó un instante y luego asintió a la doncella, que se marchó tras dejar rápidamente la ropa sobre la cama. Huseyn esperó hasta que la puerta estuvo cerrada.

—¿Qué diablos está pasando? —le espetó con dureza.

Ghizlan se encogió de hombros.

—Estoy haciendo la maleta. Aunque tú no puedas ir de visita a Zahrat, yo pienso aceptar la invitación de Idris.

—No. Tú no te puedes marchar sin mí.

—¿Cómo has dicho? —replicó ella con altivez—. Tú no me das órdenes, Huseyn. Acordamos que yo podría viajar cuando la situación se estabilizara.

—¿Tan desesperada estás por verlo?

—No tanto a él como a su esposa, Arden. Es amiga mía. Y después de ir a Zahrat, he pensado en ir a París para ver...

—¿La jequesa es amiga tuya? ¿No es a Idris al que has estado llamando todo este tiempo? Ella es tu amiga misteriosa...

Ghizlan lo miró boquiabierta.

—¿Cómo sabes a quién he estado llamando? ¿Acaso has estado espiándome?

—No. Simplemente ordené que comprobaran los últimos números a los que llamabas durante las semanas inmediatamente posteriores a mi llegada como precaución. No sabía si tus empleados me respetarían como su nuevo jeque o tratarían de engañarme mientras yo estaba fuera negociando el acuerdo de paz. El informe que me presentaron a mi llegada mostraba llamadas desde tu extensión privada al palacio de Zahrat.

—¿Y seguiste controlando las llamadas? —preguntó ella furiosa.

Huseyn asintió negándose a disculparse. El alivio que sintió al saber que ella no añoraba a otro hombre le impidió hacerlo.

—¿Por qué? ¿Por qué no me preguntaste a mí directamente? ¿Por qué lo hiciste a mis espaldas? ¿O es que acaso ese es más tu estilo?

Huseyn frunció el ceño. No comprendía aquel comentario.

—Esperaba que tú confiarías en mí lo suficiente para decírmelo tú misma algún día.

—¿Confiar en ti? —le espetó ella con un tono de voz desconocido hasta entonces que lo dejó muy preocupado. Ni siquiera cuando Ghizlan había estado más enfadada la reacción había sido tan extrema—. ¿Acaso pensaste que estaba traicionando a mi país pasándoles información importante a nuestros vecinos?

—¡Por supuesto que no! Quieres demasiado a Jeirut como para traicionarlo.

—Entonces, ¿creíste que se trataba de algo personal? ¿Cuántas veces tengo que decirte que no hay nada entre Idris y yo? ¡Lo nuestro fue un compromiso dinástico! ¡Idris está perdidamente enamorado de su esposa! Y, si yo hubiera estado enamorada de él, jamás te lo habría dicho. ¿Por qué? Tú y yo no somos nada más que una... pareja de conveniencia.

El desprecio que Ghizlan utilizó hirió profundamente a Huseyn, hasta el punto de hacer que todos sus músculos se tensaran como si se estuviera preparando para la batalla. ¿Cómo podía Ghizlan negar lo que había entre ellos? ¿Cómo se atrevía?

–¿De conveniencia? –rugió él. Su voz resonó profunda y ominosa, como los truenos que preceden a una tormenta. Instintivamente, Ghizlan dio un paso atrás, pero él le agarró los brazos y la estrechó con fuerza contra su torso–. ¿Dices que esto es de conveniencia?

La besó con dureza, obligándola a separar los labios para poder asaltarle la boca con la lengua. Ghizlan echó la cabeza atrás ante la fuerza de su posesión, acogiéndole con delicia y castigo a la vez. Lo que había entre ellos era tan bueno... Incluso en aquellos momentos, cuando la furia ardía en los cuerpos de ambos. El de Ghizlan vibraba de deseo, haciéndole descubrir zonas erógenas que no había conocido hasta entonces.

Entonces, la boca de Huseyn se suavizó y convirtió el beso en algo lánguido y delicioso, empujándola a ella a hacer todo lo que Huseyn deseara. Todo lo que ella deseaba también. Un gemido de masculino placer se apoderó de ella y la empujó a relajarse. Los fuertes brazos de Huseyn la estrechaban contra su cuerpo, obligándola a notar la erección cálida y orgullosa que la buscaba. Se apartó un poco para que él pudiera...

«¡No!» Una voz interior la empujó a rebelarse. Apartó a Huseyn de su lado con todas sus fuerzas.

–No quiero esto –le dijo, aunque sabía que no sonaba del todo sincera.

–Pensaba que ya habíamos dejado de fingir... –musitó él acariciándole suavemente el costado.

–Me hiciste lo mismo que a ese caballo. Me viste

como un desafío, ¿verdad? –le preguntó ella. Y allí estaba, un brillo en la intensa mirada azul, traicionándole. Ghizlan había dado en el clavo–. Te propusiste seducirme, calmarme, conseguir que confiara en ti... que sintiera por ti como uno de tus malditos caballos. Incluso me hiciste creer...

Cerró la boca antes de que pudiera revelar cómo él había logrado convencerla de que de verdad sentía algo por ella.

–Ghizlan... –susurró él extendiendo de nuevo la mano.

–¡No! ¡No me toques! ¡Te propusiste seducirme para conseguir que sintiera algo por ti!

–¿Y si fue así? ¿Y si me tomé el tiempo necesario para tratar de comprenderte y darte lo que querías? ¿Tan malo es eso? ¿Qué hay de malo en respetar tus necesidades y en darte tiempo para que te decidieras sobre mí? La pasión siempre existió entre nosotros. No lo puedes negar... Además, ¿acaso crees que hubiera hecho lo mismo por cualquier otra mujer?

–¿De qué estás hablando?

–Te dije que yo no le hago halagos a nadie. No vivo mi vida para acomodarla a la de una mujer, pero eso cambió contigo... Yo cambié contigo –añadió revolviéndose el oscuro cabello.

–Tuviste que cambiar. Te diste cuenta de que yo tenía habilidades y conocimientos que podrías utilizar. ¿Cómo si no poder conseguir que yo te obedeciera cuando me negaba a plegarme a tus deseos?

–¿Mis deseos? ¡Qué más quisiera yo! Eres testaruda y nunca dejas de expresar tu opinión. Siempre estás dispuesta a defender tu punto de vista.

–Precisamente lo que no quieres en una mujer –le espetó ella con acidez.

–Pensaba que estabas empezando a conocerme,

Ghizlan. Por supuesto que traté de ganarte, pero estás muy equivocada. No lo hice porque eligiera hacerlo. Lo hice porque necesitaba hacerlo –musitó agarrándole los codos. En aquella ocasión, Ghizlan no se zafó, conmovida por la emoción que había en su voz–. Hace mucho tiempo me di cuenta de que eras más que ninguna otra mujer que yo hubiera conocido nunca. Que eras la única mujer que quería en mi vida. Me gustan tus habilidades diplomáticas, que sepas hablar cinco idiomas y que seas una magnífica anfitriona, pero esa no es la razón por la que te necesito... Te necesito porque haces que me sienta pleno, me haces ser el hombre que jamás creí que pudiera ser. Un hombre mejor, más amable... ¿Tan malo es? –añadió mientras le acariciaba la mejilla con el dedo–. Me haces sentir cosas que no había sentido nunca antes. Me haces desear lo que jamás había esperado. El amor. A ti. Llevo tanto tiempo deseándote, Ghizlan... No solo como esposa de conveniencia, sino como amante...

–Me metí en tu cama demasiado fácilmente... –dijo ella. no sabía si creer lo que Huseyn le decía.

–En absoluto. Además, no solo te deseo como amante en mi cama. Es mucho más que sexo lo que necesito de ti. Cuerpo, alma y corazón... Por supuesto que quería seducirte. Quería que te enamoraras de mí porque yo me he enamorado de ti. No quiero ni pensar que me dejas por un elegante aristócrata que es todo lo que yo nunca seré...

Huseyn comenzó a acariciarle suavemente las mejillas. En ese momento, Ghizlan se dio cuenta de que había lágrimas sobre su piel, unas lágrimas que no había sido consciente de derramar. En ese momento, comprendió que no se había equivocado. Lo que Huseyn decía era cierto. Lo notaba en su voz, en el gesto de su rostro y en el sudor que le cubría la frente. Sin poder contenerse ya, se abrazó a él y entrelazó los dedos sobre su nunca.

—¿Por qué no me lo dijiste?

—Quería que te sintieras unida a mí. Nunca antes había tenido que seducir a una esposa. Quería saber que lo había hecho bien y que no querrías marcharte jamás de mi lado. Entonces, te lo habría dicho.

—Si me lo hubieras dicho, nos habrías ahorrado muchos problemas —comentó ella, sonriendo.

—Pensaba que una acción vale más que mil palabras.

—Así es...

Ghizlan se puso de puntillas y le besó. Huseyn le rodeó la cintura con las manos y la estrechó con fuerza contra su cuerpo. Los ojos le brillaban más que cualquiera de los fabulosos diamantes de las joyas de la familia real.

—Te amo, Huseyn... No quería hacerlo, pero no pudo evitarlo —susurró besándole una vez más.

—¿Y cuándo lo supiste? No, dímelo más tarde. Tenemos todo el tiempo del mundo para hablar de los cómos y los porqués. En este momento, solo deseo un beso de mi esposa. La única mujer que será la dueña de mi corazón.

—¿Es una orden, Mi Señor?

—Lo es, Mi Señora —contestó él. La tomó entre sus brazos y la levantó, abrazándola con una ternura incomparable.

Ghizlan se acurrucó contra él, radiante por la felicidad que sentía en el corazón y la mirada de amor verdadero de los ojos de Huseyn. Cuando se volvieron a besar, sellaron la promesa de la felicidad futura. Un don ofrecido y aceptado. Un juramento maravilloso y sentido que les duraría una vida entera.

Epílogo

ASÍ QUE lo que dicen sobre tu esposo es cierto –le comentó Arden.

–¿Qué es lo que dicen? –replicó Ghizlan frunciendo el ceño–. No deberías creer los rumores.

–Me cae muy bien, en especial porque veo que te adora, pero, cuando lo vi por primera vez... Había oído el rumor de que te había obligado a casarte con él... Es un hombre tan grande y poderoso, con un aire de determinación tan fuerte que... No me gustaría enojarle...

–Bueno, no sé –dijo Ghizlan sonriendo–. Las reconciliaciones son muy estimulantes.

–De eso doy fe. Con Idris es lo mejor de nuestra relación. De hecho, nos va tan bien que estamos esperando otro bebé.

–¡Enhorabuena! –exclamó Ghizlan abrazando a su amiga–. Me alegro tanto por ti.

–Gracias. Estamos muy contentos.

Arden miró con curiosidad el vientre de su amiga, que estaba completamente liso. Tal vez pronto, Huseyn y ella estarían también esperando un bebé. Ella había dejado de tomar la píldora, así que la naturaleza seguiría su curso.

–Ahí están –dijo Arden frunciendo el ceño–, pero me parece que Dawud no es lo suficientemente mayor para montar un poni.

Huseyn llevaba al poni por el patio de palacio, con el niño montado e Idris caminando pocos pasos detrás.

Cuando se detuvieron, el niño pidió ayuda a Huseyn para desmontar. El pequeño se había sentido fascinado por Huseyn desde que los dos llegaron a Zahrat.

—Me has privado del afecto de mi hijo —se quejó Idris mientras besaba a su esposa.

—Solo soy la novedad...

Llevaba al pequeño Dawud en brazos. A Ghizlan le sorprendió el aspecto tan natural que tenía con el pequeño. Se adaptaría bien cuando llegara su primer hijo.

Huseyn la miró como si le hubiera leído el pensamiento. El deseo latía entre ellos mientras los dos se devoraban con la mirada. Idris tomó en brazos a su hijo para que Huseyn se pudiera sentar junto a Ghizlan.

—Gracias —dijo Huseyn mientras tomaba la mano de su esposa y le daba un beso en la palma—. Mi esposa me distrae mucho...

—En ese caso, Ghizlan, tal vez deberías venir a la negociación de los acuerdos de comercio. Quiero contar con todo lo que le pueda dar ventaja a Zahrat. Tu esposo es un negociador muy duro.

Huseyn sonrió.

—Buena idea —replicó él todavía sonriendo—. Ghizlan es mi arma secreta. Ella conseguirá ventajas para nosotros en la negociación. En realidad, he estado pensando que sería una idea excelente que ella llevara algunas de las negociaciones. Si tú quieres, Ghizlan, por supuesto. Sé que vas a estar muy ocupada con el lanzamiento del nuevo perfume.

Ghizlan lo miró asombrada. Aquella iniciativa rompería con muchas leyes no escritas, como lo era la de permitir que una mujer realizara un papel tan importante para el futuro de la nación.

—Dime que sí —la animó Huseyn—. Te quiero a mi lado, que es donde mereces estar. Eres más que mi esposa y amante. Eres mi compañera, mi otra mitad.

Quiero que todo el mundo vea lo importante que eres para Jeirut y para mí.

–A los del Consejo Real les dará un ataque... –susurró ella, con el corazón lleno de orgullo y amor.

–Como si me importara. Contigo a mi lado somos capaces de cualquier cosa. Es hora de que nuestro pueblo te vea como lo que realmente eres: mi igual.

–Ay, Huseyn... –murmuró Ghizlan muy emocionada, enmarcándole el rostro con las manos sin importarle la compañía–. Me haces tan feliz...

–Me alegro. Ese es mi objetivo en la vida. Hacerte feliz para que me ames siempre igual que ahora. Ten cuidado, Idris –añadió volviéndose hacia su anfitrión–. Mi Ghizlan es una fuerza a tener en cuenta.

–Creo que lo sois los dos.

Ghizlan sabía que Idris tenía razón. Los dos juntos formaban una unión perfecta. Ella se consideraba la mujer más afortunada del mundo al saber que, fuera lo que fuera lo que el destino les tuviera reservado, Huseyn siempre estaría a su lado.

Bianca

Aunque la química entre ellos seguía siendo tan intensa como siempre, ¿superarían ilesos su tempestuoso reencuentro?

El mundo de Angelina se tambaleó cuando Lorenzo Ricci irrumpió en su fiesta de compromiso exigiéndole que cancelara la boda porque seguía casada con él. Dos años atrás, ella había abandonado al temperamental italiano para proteger su corazón, pero, dado que el negocio de su familia estaba en juego, tendría que aceptar las condiciones de su marido…

Lorenzo estaba dispuesto a hacer lo que fuera para que su esposa volviera al lecho matrimonial y le proporcionara un heredero. Incluso cancelaría su deuda si le devolvía el préstamo en… deseo.

REENCUENTRO CON EL DESEO

JENNIFER HAYWARD

Acepte 2 de nuestras mejores novelas de amor GRATIS

¡Y reciba un regalo sorpresa!

Oferta especial de tiempo limitado

Rellene el cupón y envíelo a
Harlequin Reader Service®
3010 Walden Ave.
P.O. Box 1867
Buffalo, N.Y. 14240-1867

¡Sí! Por favor, envíenme 2 novelas de amor de Harlequin (1 Bianca® y 1 Deseo®) gratis, más el regalo sorpresa. Luego remítanme 4 novelas nuevas todos los meses, las cuales recibiré mucho antes de que aparezcan en librerías, y factúrenme al bajo precio de $3,24 cada una, más $0,25 por envío e impuesto de ventas, si corresponde*. Este es el precio total, y es un ahorro de casi el 20% sobre el precio de portada. ¡Una oferta excelente! Entiendo que el hecho de aceptar estos libros y el regalo no me obliga en forma alguna a la compra de libros adicionales. Y también que puedo devolver cualquier envío y cancelar en cualquier momento. Aún si decido no comprar ningún otro libro de Harlequin, los 2 libros gratis y el regalo sorpresa son míos para siempre.

416 LBN DU7N

Nombre y apellido	(Por favor, letra de molde)
Dirección	Apartamento No.
Ciudad	Estado	Zona postal

Esta oferta se limita a un pedido por hogar y no está disponible para los subscriptores actuales de Deseo® y Bianca®.
*Los términos y precios quedan sujetos a cambios sin aviso previo.
Impuestos de ventas aplican en N.Y.

SPN-03   ©2003 Harlequin Enterprises Limited

Amores fingidos
Sarah M. Anderson

Ethan Logan no conocía el fraca-
so, pero hacerse con la cervecera
Beaumont le estaba resultando
difícil. Para triunfar, iba a tener
que tomar medidas drásticas,
incluyendo pedirle matrimonio
a la atractiva pelirroja Frances
Beaumont.

Frances no estaba dispuesta a
casarse con un completo desconocido sin conseguir nada a
cambio, pero una vez que Ethan
aceptara sus términos, confiaba
en que aquella farsa se desarrollara sin problemas. Ella nunca
había creído en el amor, y siempre había hecho lo que había

querido con los hombres que habían pasado por su vida,
pero un beso de su presunto prometido lo cambió todo.

Era el plan perfecto, hasta que se dio cuenta de
que la quería por algo más que por negocios.

Bianca

Él quiere una esposa de verdad...

Perdita Boyd tenía que salvar
el negocio de su familia para
proteger a su padre enfermo. ¿Pero qué podía hacer
si el único inversor era Jared
Dangerfield? ¡Su esposo!
Muy enamorada, se había
casado con Jared en secreto, pero el matrimonio nunca
fue consumado porque en la
noche de bodas lo encontró
en la cama con otra mujer.
Jared había vuelto para
vengarse de aquellos que
le tendieron la trampa, para
recuperar su negocio y...
también a su esposa.

OTRA NOCHE
DE BODAS

LEE WILKINSON